Alain Mabanckou est né au Congo-Brazzaville en 1966. Lauréat du prix des Cinq Continents de la Francophonie, du prix Ouest-France/Étonnants Voyageurs et du prix RFO du livre pour son roman *Verre Cassé* (Seuil, 2005), il s'est vu décerner le prix Renaudot pour son roman, *Mémoires de porc-épic* (Seuil, 2006). Il est également l'auteur de l'essai *Lettre à Jimmy*. Il enseigne aujourd'hui la littérature francophone à l'université de Californie-Los Angeles.

Alain Mabanckou

BLACK BAZAR

ROMAN

Éditions du Seuil

TEXTE INTÉGRAL

ISBN 978-2-7578-1639-4
(ISBN 978-2-02-097337-3, 1re publication)

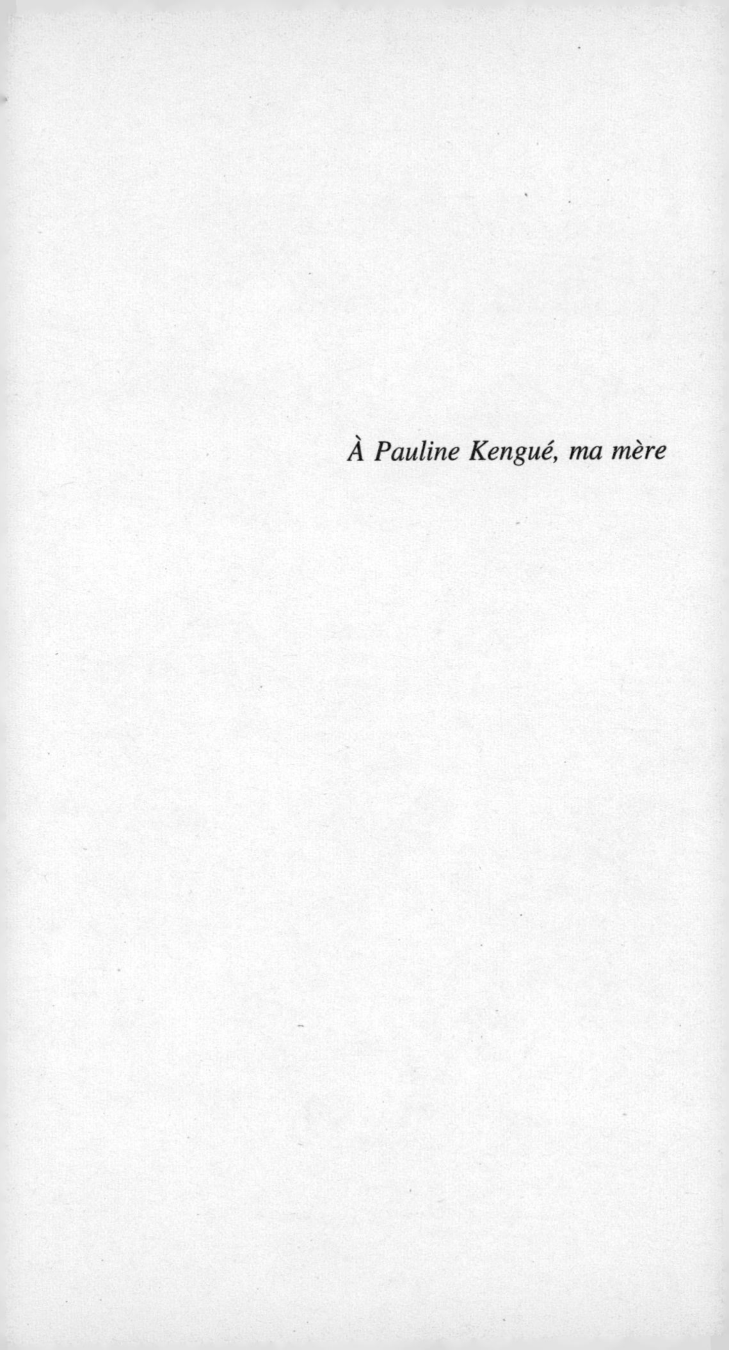

À Pauline Kengué, ma mère

Prologue

Quatre mois se sont écoulés depuis que ma compagne s'est enfuie avec notre fille et L'Hybride, un type qui joue du tam-tam dans un groupe que personne ne connaît en France, y compris à Monaco et en Corse. En fait je cherche maintenant à déménager d'ici. J'en ai assez du comportement de mon voisin monsieur Hippocrate qui ne me fait plus de cadeaux, qui m'épie lorsque je descends au sous-sol dans le local des poubelles et qui m'accuse de tous les maux de la terre. En plus, quand j'entre chez moi je ne supporte plus de deviner la silhouette de mon ex et celle de L'Hybride qui rôde quelque part. J'ai pourtant nettoyé le studio de fond en comble, j'ai même repeint les murs en jaune à la place du bleu ciel qu'il y avait avant. Il n'y a donc aucune trace qui devrait rappeler qu'une femme et un enfant vivaient avec moi dans cette pièce. Sauf peut-être la chaussure que ma compagne a oubliée sans doute dans sa précipitation. Ce jour-là elle devait se dire que je pouvais rentrer d'un instant à l'autre et la surprendre en train de rassembler ses affaires alors que moi je savourais ma Pelforth au Jip's. Si je suis tombé sur cette chaussure c'est un peu grâce aux conseils d'un de mes potes du Jip's, Paul du grand Congo. Il m'avait confié entre deux verres de bière que lorsqu'une femme te quitte il faut à tout prix que tu déplaces ton lit pour tirer un trait sur ta vie passée et éviter les cauchemars dans lesquels des petits hommes te hantent et te veulent du mal. Il avait raison. J'ai eu en effet plein de cauchemars pendant les sept nuits qui ont suivi le départ de mon ex. Je sautais des Murailles de Chine et retombais dans le vide. J'avais des ailes, je m'envolais très haut, je parcourais plus de dix mille kilomètres en quelques secondes, puis je me posais sur un sommet dix fois plus haut que l'Himalaya et vingt-cinq fois plus haut que nos montagnes de la forêt du Mayombe. Je me retrouvais au milieu des Pygmées du Gabon qui m'encerclaient avec des sagaies empoisonnées. Je ne pouvais pas les semer, ils volaient plus vite que moi. Pendant mon enfance on nous disait qu'ils avaient des pouvoirs surnaturels parce qu'ils étaient les premiers hommes à qui Dieu avait confié les clés de la Terre depuis les temps de la Genèse. C'est à eux que le Seigneur s'était adressé le cinquième jour de la Création lorsqu'Il avait dit : « Soyez féconds, multipliez-vous, remplissez la terre… » En ce temps-là, comme ces petits hommes se demandaient encore ce qu'ils allaient manger ici-bas, eh bien Dieu qui lisait dans les pensées de toute créature avait rajouté, pour rassurer nos Pygmées du Gabon : « Voici, je vous donne, pour vous en nourrir, toute plante portant sa semence partout sur la terre, et tous les arbres fruitiers portant leur semence. » De nos jours l'homme détruit la flore et c'est peut-être pour ça que les Pygmées du Gabon viennent nous épouvanter dans nos rêves.

Durant ces cauchemars je me retournais dans le lit, je transpirais comme si j'avais de la fièvre. Les Pygmées du Gabon s'apprêtaient à jeter ma fille dans une marmite remplie d'huile de palme bouillante.

Moi je criais :

– Ah non, ah non, les gars ! C'est ma fille ! C'est ma fille ! C'est la petite Henriette ! Elle est innocente ! Si vous voulez, prenez-moi à sa place ! Ne faites pas honte à l'humanité, vous êtes nos ancêtres ! Montrez au monde entier que le cannibalisme n'existe pas chez nous, que c'est une invention des explorateurs, surtout des Africains qui écrivent des livres !

Et le plus vieux d'entre eux s'avançait vers moi avec sa barbe grise, ses yeux rouges et ses dents jaunâtres :

– Mais qui t'a raconté que nous autres on est des cannibales, hein ? Nous on est végétariens à cent pour cent ! Nous allons seulement sacrifier ton enfant pour qu'il y ait de la pluie. On a besoin de tout son sang, après on te la rendra…

J'appelais alors mon ex au secours, et c'est là que je me réveillais en sursaut pour constater qu'il n'y avait en fait pas de Pygmées du Gabon, que j'étais seul, que j'avais dormi sans éteindre la lumière et la télévision.

Ce n'est que lorsque j'ai déplacé le lit que ces petits hommes ont enfin disparu…

*

Je vais régulièrement au Jip's, le bar afro-cubain, près de la fontaine des Halles, dans le Ier arrondissement, je peux même dire que j'y vais maintenant plus que d'habitude. Parfois je somnole jusqu'à ce que je sois réveillé par les bruits des chaises que l'agent de sécurité Lazio est en train de ranger en grommelant des jurons parce que quelqu'un s'est barré sans payer et qu'on s'en prend à lui alors qu'il est là pour distribuer des coups de poing aux voyous des banlieues et non pour savoir qui n'a pas réglé son addition. Willy le barman lui rappelle qu'il n'y a pas de différence entre un voyou qui casse tout et un client qui ne veut pas payer. Les deux doivent recevoir des coups de poing même s'il faut frapper un peu moins fort le mauvais payeur…

Avant d'entrer dans le bar je jette toujours un œil en face, là où se situait Le Vogue à l'âme, un magasin de sous-vêtements féminins. C'est pas pour rien que je regarde par là-bas : c'est là que travaillait mon ex. L'établissement a fermé définitivement, et personne ne sait pour quelles raisons. Du coup, le Chinois qui tient un restaurant un peu plus loin, à la rue de la Grande-Truanderie, il a fini par racheter les lieux pour installer un pressing…

Ces derniers temps lorsque je me pointe au Jip's Roger Le Franco-Ivoirien me saute dessus. Il a ouï-dire par Paul du grand Congo que pour noyer mon chagrin après le départ de mon ex et surmonter ma colère contre L'Hybride j'écris un journal chez moi avec une machine à écrire que j'ai achetée dans un dépôt-vente de la porte de Vincennes.

Avant-hier par exemple quand il m'a vu arriver il ne m'a même pas laissé le temps de me rapprocher au comptoir jusqu'à l'endroit où se tient souvent Paul du grand Congo pour mieux regarder les filles qui passent dans la rue Saint-Denis.

Il m'a dit :

– Ça tombe bien, Fessologue, tu es là, je t'attendais ! Paul du grand Congo m'a appris que tu écris des trucs et que ça s'appelle *Black Bazar* ! C'est quoi cette arnaque que tu nous prépares ? Pourquoi écris-tu ? Tu crois que c'est tout le monde qui peut écrire des histoires, hein ? Est-ce que c'est pas par hasard une nouvelle astuce que tu as dénichée pour te mettre au chômage, passer entre les mailles des filets du système, piquer les allocations, creuser au passage le trou de la sécu et mettre en panne l'ascenseur social de la Gaule ?

J'avais l'impression d'entendre monsieur Hippocrate me parler dans le local des poubelles de notre immeuble. Roger Le Franco-Ivoirien a compris que je n'avais pas apprécié ce ton et il a commandé deux Pelforth pour me prendre aux sentiments.

– Écoute, mon gars, sois réaliste ! Laisse tomber tes histoires de t'asseoir et d'écrire tous les jours, y a des gens plus calés pour ça, et ces gens-là on les voit à la télé, ils parlent bien, et quand ils parlent y a un sujet, y a un verbe et y a un complément. Ils sont nés pour ça, ils ont été élevés dans ça, alors que nous autres les nègres, c'est pas notre dada, l'écriture. Nous c'est l'oralité des ancêtres, nous c'est les contes de la brousse et de la forêt, les aventures de Leuk-le-Lièvre qu'on raconte aux enfants autour d'un feu qui crépite au rythme du tam-tam. Notre problème c'est qu'on n'a pas inventé l'imprimerie et le Bic, et on sera toujours les derniers assis au fond de la classe à s'imaginer qu'on pourrait écrire l'histoire du continent noir avec nos sagaies. Est-ce que tu me comprends ? En plus on a un accent bizarre, ça se lit aussi dans ce que nous écrivons, or les gens n'aiment pas ça. D'ailleurs il faut avoir un vécu pour écrire. Et toi, qu'est-ce que tu as comme vécu, hein ? Rien ! Zéro ! Moi par contre j'aurais des choses et des choses à raconter parce que je suis un métis, je suis plus clair que toi, c'est un avantage important. Si je n'ai pas encore écrit une seule ligne à ce jour c'est que le temps me manque. Je me rattraperai quand je serai à la retraite dans une belle maison en pleine campagne, et le monde entier saura ce qu'est un chef-d'œuvre !

Il a avalé d'un seul coup son verre de Pelforth puis, après un moment de silence, il m'a demandé :

– Puisque tu prétends que tu écris, est-ce qu'il y a au moins un mouton blanc dans tes histoires à toi ?

J'ai dit que je n'aimais pas les moutons et que je n'en avais jamais vu de cette couleur.

– Tu veux me dire qu'il n'y a pas de moutons dans ton quartier, au Congo là-bas ?

– Si, y en a chez les commerçants du quartier Trois-Cents, mais leurs moutons ne sont même pas blancs, ils sont tout noirs, parfois avec des taches, et c'est pas avec des moutons comme ça qu'on peut raconter des histoires crédibles. En plus les commerçants les dépècent et les vendent en brochettes le soir dans les rues.

– Bon, d'accord, mais est-ce qu'il y a au moins dans tes histoires à toi une mer et un vieil homme qui va à la pêche avec un petit garçon ?

J'ai dit non parce que la mer me fait peur surtout que, comme beaucoup d'autres gens au pays, j'avais vu *Les Dents de la mer* et étais sorti du cinéma Rex avant la fin de ce film.

Il a fait signe à Willy de nous déposer deux autres Pelforth.

– Bon, d'accord, a-t-il repris, mais est-ce qu'il y a au moins dans tes histoires à toi un vieux qui lit des romans d'amour en pleine brousse ?

– Ah non, comment d'ailleurs peut-on faire parvenir des romans d'amour au cœur de la brousse ? C'est une mission impossible chez nous, notre arrière-pays est très enclavé. On n'a qu'une seule route qui va là-bas, et elle date de l'époque coloniale.

– Vous êtes indépendants depuis bientôt un demi-siècle et tu me dis qu'il n'y a qu'une seule route ? Qu'est-ce que vous avez foutu pendant tout ce temps ? Faut arrêter de toujours montrer du doigt les colons ! Les Blancs sont partis, ils vous ont tout laissé, y compris des maisons coloniales, de l'électricité, un chemin de fer, de l'eau potable, un fleuve, un océan Atlantique, un port maritime, de la Nivaquine, du merchurochrome et un centre-ville !

– Je n'y suis pour rien, moi, c'est la faute de nos gouvernants. S'ils avaient au moins rénové la route que les colons nous ont laissée, eh bien aujourd'hui ton vieux pourrait recevoir des romans d'amour. Et cette route coloniale, tu sais, c'est une honte…

– Qu'est-ce qu'il y a, hein ? Pourquoi c'est une honte ? Tu es contre les colons ou quoi ? Moi je dis que les pauvres colons il faut leur rendre hommage ! Y en a marre qu'on les accuse à tort et à travers alors qu'ils ont fait consciencieusement leur boulot pour nous délivrer des ténèbres et nous apporter la civilisation ! Est-ce qu'ils étaient obligés de faire tout ça, hein ? Tu te rends pas compte qu'ils ont bossé comme des dingues ? Y avait les moustiques, les diables, les sorciers, les cannibales, les mambas verts, la maladie du sommeil, la fièvre jaune, la fièvre bleue, la fièvre orange, la fièvre arc-en-ciel et que sais-je encore. Y avait tous ces maux sur nos terres d'ébène, notre Afrique fantôme au point que même Tintin était contraint de faire le déplacement en personne pour notre bien ! Donc c'est pas moi qui vais avoir une rancœur contre les colons ! Tu es bien d'accord que Tintin a été chez toi au Congo ? Et ce Tintin est-ce qu'il s'est posé mille et une questions ? Est-ce qu'il n'est pas venu avec ses amis, un capitaine barbu qui insulte tout le monde et un petit chien blanc plus intelligent que toi et moi réunis, hein ? S'il est passé par là, tu peux toi aussi, dans tes histoires que tu écris, envoyer les romans d'amour à ce vieux par cette route coloniale !

– Oui, mais elle est trop dangereuse, cette route, surtout en temps de pluies.

– Où est le problème ?

– Il pleut sans cesse chez nous, et quand il pleut c'est mille fois plus que le Déluge…

Après un silence et deux gorgées de bière, irrité que j'aie toujours réponse à tout, Roger Le Franco-Ivoirien a tapé du poing sur la table :

– Je ne fais que t'aider, c'est tout ! Est-ce que tu comprends qu'écrire c'est pas blaguer, hein ? C'est ceux qui écrivent les histoires qui doivent inventer les situations, pas moi. Fais donc fonctionner ton imagination, aide ce vieux qui s'emmerde en brousse pour qu'il ait des romans d'amour !

Comme je ne répondais plus, il a capitulé :

– Bon d'accord, je sais, je m'énerve pour rien, excuse-moi, je te demande peut-être l'impossible. Je mesure en fait la difficulté de la tâche. Mais est-ce qu'il y a au moins dans tes histoires à toi une jeune Japonaise mythomane qui confie à son psychanalyste qu'elle n'entend plus de musique, je veux dire par là qu'elle n'éprouve plus de jouissance ?

C'était à mon tour de m'énerver :

– Ah non, ah non, je ne vais pas aller jusqu'au Japon pour une histoire d'une mythomane qui ne jouit plus !

– Tu es contre les Japonais ou quoi ?

– Pas du tout, mais pourquoi pas, pendant que nous y sommes, aller aussi en Haïti et parler du vaudou, hein ? Ça va pas la tête, non ? Est-ce que tu ne serais pas un petit obsédé sexuel, toi ? Tu as déjà fait jouir une femme, toi ?

– Chuuuuut ! Tu n'as pas besoin de crier et de m'insulter, tout le monde t'entend dans le bar, et c'est pas bien. Un écrivain doit être discret, il doit observer son environnement pour mieux le décrire avec minutie… Mais est-ce qu'il y a au moins dans tes histoires à toi un ivrogne qui va dans le pays des morts pour retrouver son tireur de vin de palme décédé accidentellement au pied d'un palmier ?

J'ai dit non parce que je n'ai jamais mis les pieds dans le pays des morts, je ne tiens pas à y aller pour rien au monde surtout que c'est encore plus loin que le Japon et Haïti.

– Oui, mais ce n'est qu'une histoire que tu dois raconter, il faut t'imaginer que tu y vas. C'est pas sorcier, non ?

– Je n'irai pas là-bas. Y a des lieux qui attirent la malédiction, c'est pas mon truc à moi les histoires de ceux qui vont dans le pays des morts.

– Bon, d'accord, d'accord, mais est-ce qu'il y a au moins dans tes histoires à toi un grand amour au temps du choléra entre un pauvre télégraphiste et une jeune écolière qui finira plutôt par épouser un médecin plus tard ?

– C'est quoi un télégraphiste ? ai-je demandé d'un ton faussement naïf.

– On n'est vraiment pas sortis de l'auberge ! Je vois qu'il te faut travailler ton vocabulaire… Est-ce qu'il y a au moins dans tes histoires à toi un drame de jalousie avec un peintre qui tue une femme qu'il a rencontrée lors d'une exposition, une femme qui admirait pourtant une de ses toiles ?

– Ne me parle pas de peinture !

– Ah bon ? Tu n'aimes pas la peinture et tu te dis écrivain ?

– La peinture d'aujourd'hui m'énerve. Au pays j'ai vu la reproduction d'une toile au Centre culturel français, ça s'appelait *Les Demoiselles d'Avignon*, et c'était laid comme la gueule d'un bouledogue.

– En fait tu ne comprends rien à la peinture, et ça c'est un grand handicap… Mais est-ce qu'il y a dans tes histoires à toi un personnage avec un tambour, un personnage qui, dès l'âge de trois ans ne voudra pas grandir, un personnage qui sera plus tard pensionnaire d'une maison de santé et racontera sa vie à son gardien à travers un judas, hein ? En plus, si je dis ça c'est toujours pour t'aider un peu parce que tu ne sais pas où tu mets les pieds et qui sont les gens qui t'ont précédé dans ça. Ce serait bien aussi que ce gardien de la maison de santé ait une âme d'artiste, qu'il fabrique par exemple des ficelles nouées qu'il montrerait à son pensionnaire, tu vois ce que je veux dire, hein ?

Je lui ai signifié que j'ai un personnage qui bat du tam-tam, je le surnomme L'Hybride. C'est ce type-là qui est parti au pays avec ma compagne et ma fille.

J'ai beuglé :

– Si tu me parles encore de tambour ou de tam-tam je sors de ce bar ! J'en ai assez ! Je m'en vais !

Et je suis sorti du Jip's comme une fusée car il devenait de plus en plus ivre. Je lui ai dit que je ne lui parlerais plus de mes projets et qu'il devait oublier ce que Paul du grand Congo lui avait raconté.

J'ai lancé :

– Tu ne comprends rien à rien ! J'écris comme je vis, je passe du coq à l'âne et de l'âne au coq, c'est ça aussi vivre si tu ne le sais pas. C'est pas parce que tu m'as acheté quelques Pelforth que tu vas me chier dessus avec tes moutons blancs et tes vieux qui vont à la mer ou qui lisent des romans d'amour. Moi j'ai un vrai pote qui m'écoute, c'est Louis-Philippe, et il est haïtien. Lui alors c'est un écrivain, pas un brailleur de ton espèce qui attend la retraite pour pondre son chef-d'œuvre que le monde entier lira. Tu n'as qu'à aller te faire voir ailleurs !

Je l'ai entendu répliquer d'une voix métallique au moment où Paul du grand Congo entrait :

– Tout a déjà été écrit ici-bas, Fessologue ! Tout ! Et moi j'ai lu tous les grands livres du monde ! C'est pas toi qui viendras changer les choses. Et surtout que je ne retrouve pas mon nom dans ton journal d'un cocu ! D'ailleurs où se trouvent ta femme et ta fille actuellement, hein ? Tu es incapable de dire ça dans tes écrits parce que tu as honte que les gens le sachent ! Tu crois écrire, or tu vomis en fait ta colère contre ton ex et le troubadour qui te l'a piquée ! Bien fait pour toi !

I

C'est pas du tout moi qui creuse le trou de la Sécurité sociale. Quand je suis arrivé ici il existait déjà, on en parlait d'ailleurs depuis des décennies. Certains prétendaient même que lorsqu'on marchait dans la rue on pouvait se retrouver dedans parce qu'il n'y avait pas de panneaux qui prévenaient les gens, je n'avais alors rien à me reprocher et, pour me rassurer, je me répétais que cette histoire de trou n'était qu'un des arguments de quelques politiciens de l'opposition qui voulaient empêcher le gouvernement de travailler pour que son bilan soit catastrophique au moment des élections…

Or voilà que ceux qui ont débattu à la télé il y a une semaine ont déclaré qu'à ce rythme-là on allait droit vers « une chute vertigineuse sans précédent ». C'est à cause d'eux que je recommence à m'inquiéter sérieusement, surtout que même Roger Le Franco-Ivoirien laisse entendre que moi aussi je contribue à l'aggravation de la situation parce que je travaille à mi-temps et passe mon temps devant ma machine à écrire…

À écouter les gens bien informés qui discutaient à la télé j'ai cru comprendre que la situation était plus que grave, qu'elle était désespérée. Que le pays avait perdu et la bataille et la guerre. Ils ont parlé de déficit, de mauvaise gestion, de gouvernance calamiteuse et de bien d'autres trucs. J'ai pris des notes en vrac sur des étiquettes de Pelforth que j'avais achetées la veille chez notre Arabe du coin, un type gentil qui me lance toujours lorsque j'entre dans son magasin :

– « L'Occident nous a trop longtemps gavés de mensonges et gonflés de pestilences… » Est-ce que tu sais quel poète noir a eu le courage de dire ça, hein ?

Tout au long de ce débat très animé je n'ai pas quitté des yeux mon téléviseur. C'était pour moi un grand exploit. D'ordinaire je préfère regarder les films d'amour ou les émissions qui me promettent que je pourrais gagner une voiture à vitesses automatiques si je compose le numéro de téléphone qui est affiché en bas de l'écran. Oh, avant j'aimais aussi les émissions dans lesquelles des couples étaient catapultés dans une île d'Amérique du Sud où ils étaient séparés et livrés à la tentation d'autres hommes et d'autres femmes vingt-quatre heures sur vingt-quatre, pendant douze jours. À l'époque c'est vrai que je ne ratais aucun épisode, je plaisantais avec mon ex et la défiais de partir avec moi dans cette aventure puisque paraît-il que c'est loin là-bas que les couples se rendent compte que leur amour est indéboulonnable. L'enjeu c'était en fait de voir à la fin si l'homme et la femme allaient retourner ensemble à la maison, bras dessus, bras dessous, ou s'ils allaient s'échanger des noms d'oiseaux migrateurs et ne plus se parler pour de bon. Ma compagne ne rigolait pas quand je lui lançais ce défi, elle s'imaginait réellement que je ne rêvais que d'aller me taper les blondes, les rousses et les brunes aux derrières bien ronds comme les femmes de chez nous parce que moi je suis fou de ces derrières-là. Elle disait que les femmes qu'on voyait à la télé c'étaient pas de vraies femmes, que c'était le maquillage qui les rendait comme ça puisqu'elle n'avait jamais croisé ce type de femmes au Franprix ou au Monoprix où elle faisait ses courses, au bout de notre rue. En plus elle s'insurgeait contre moi parce que parmi ces hommes et ces femmes largués dans l'île, il y en avait qui tombaient dans le péché de la chair dès le premier jour, et on les voyait forniquer dans la piscine ; il y en avait aussi qui observaient un petit délai de carence avant de rattraper le temps perdu et de s'envoyer en l'air dans tous les bosquets de ce paradis. J'appartenais, d'après elle, à la première catégorie, celle des pécheurs pressés de croquer la première pomme venue. Si j'ai cessé de suivre ce genre d'émissions depuis un moment, c'est que j'ai appris qu'il y a souvent de faux couples qui roulent les téléspectateurs dans la farine de manioc. Est-ce que c'est une manière de procéder, ça ?…

Cette fois-ci je regardais donc autre chose, et c'était un débat qui me mettait en cause indirectement. Sur le plateau la bagarre allait presque éclater entre les invités. Ils ont prononcé neuf cent vingt-cinq fois les mots « trou » et « sécu ». Y a eu un reportage dans une caisse d'assurance maladie et dans une pharmacie. Comme par coïncidence ça se passait dans notre quartier, mais un peu plus loin là-bas, vers la mairie. Les hommes et les femmes qui s'exprimaient dans le reportage critiquaient ouvertement le système de notre sécu, ils ignoraient que des petits micros et des caméras avaient été planqués quelque part pour les surprendre, qu'ils seraient vus dans la France entière, y compris à Monaco et en Corse. Ils expliquaient comment ils fermaient les yeux sur certains abus parce qu'ils n'en avaient rien à foutre, que de toute façon l'argent qu'on jetait par les fenêtres dans les remboursements de ceci ou de cela ça ne sortait pas de leurs poches à eux…

À la fin de l'émission il fallait bien qu'on nous donne des solutions, et on n'a eu droit qu'à des généralisations. « L'État doit jouer son rôle », a tonné un chauve qui ramenait ses deux derniers cheveux de la nuque jusqu'à son front proéminent. « Il faut prendre en urgence des mesures drastiques », a dit un homme qui se rasait très mal, sans doute avec la crème épilatoire de sa femme. « Il faut un plan Marshall *hic et nunc* », a avancé un homme qui, de profil ou de face, ressemblait à une sole. « Il faut serrer les boulons », a rajouté une femme qui portait des lunettes grosses comme les roues d'une bicyclette des premières années de l'Occupation. « Il faut… il faut, il faut étudier… étudier… le comportement des… des assurés so… so… sociaux, les pou… pou… pou… les pousser à changer leurs habitudes de con… de consommation des médi… cacaments. Il faut aussi… aussi… organiser une véritable chasse à la fraude », a rétorqué un type qui bégayait au quart de tour et qui terminait difficilement ses phrases. Le générique de fin est arrivé, les débatteurs souriaient, se congratulaient, ils étaient heureux d'avoir fait une bonne prestation.

Je savais que mon voisin aussi avait suivi l'émission. J'entendais sa télé depuis chez moi. Ce que j'ignorais encore c'est qu'il allait me casser les pieds avec cette histoire…

*

Le lendemain, alors que j'avais encore les yeux tout rouges à cause de cette empoignade télévisée, mon voisin de palier m'a croisé dans le local des poubelles et m'a abordé avec un ton chargé d'ironie :

– Je ne vous l'apprends pas, la situation est grave ! Très grave ! Il paraît que le trou de la sécu ne fait que se creuser à cause de certains voyous qui n'ont pas le sens des valeurs républicaines et qui menacent notre démocratie. Je ne cite le nom de personne, mais il faut faire quelque chose !

Pourquoi s'adressait-il à moi ? On ne s'entend pas lui et moi. On se parle à peine, et d'ailleurs le courant n'est jamais passé entre nous depuis les premiers jours où j'avais mis les pieds dans cet immeuble avec mes malles de vêtements pour alors rejoindre celle qui allait devenir plus tard la mère de ma fille.

J'ai pris mon temps avant de lui répondre, je ne voulais pas m'emporter. Je lui ai dit que je voyais de quoi il parlait, que moi aussi j'avais suivi l'émission. Que le trou de la sécu était en effet profond, qu'il y avait déjà plusieurs victimes dedans. Que j'avais mille et une questions qui me traversaient maintenant l'esprit depuis ce débat. Que je voulais voir un peu plus clair dans cette histoire.

– Oui, mais c'est maintenant qu'il faut faire quelque chose ! Y en a marre des gens comme vous qui attendent toujours de voir un peu plus clair alors que le trou continue à s'aggraver ! Dites, pendant que nous y sommes, est-ce que votre nouveau métier à vous c'est de rester à la maison et de taper comme ça tous les jours sur une putain de machine à écrire dont le bruit fait trembler tout l'immeuble ? Est-ce que ça fait vraiment bouillir la marmite ou c'est pour ne pas dire aux gens que vous êtes en fait au chômage ?

Comme je n'ai pas bronché, avant de sortir du local il a détaillé un moment mes pompes et mon costard Cerruti 1884. Je croyais que j'avais mis les pieds dans la crasse ou que j'avais des taches sur mes vêtements.

Il a aussitôt murmuré, d'un air dépité :

– Pour déposer les ordures dans un local est-ce qu'on est vraiment obligé d'être bien sapé comme si on se rendait à un mariage, hein ? Ces habits doivent coûter très cher !

Je ne sais pas pourquoi il s'imagine que j'achète mes fringues avec l'argent de la sécu, son argent à lui. À bien voir c'est lui qui avale des médicaments à longueur de journée, les remplace selon son humeur, fait défiler plusieurs médecins de la ville dans son appartement. En réalité il est devenu de plus en plus insupportable depuis son accident au cinquième étage. S'il s'était contenté de cultiver son jardin, rien ne lui serait arrivé. Son problème c'est qu'il ne fait que monter et redescendre les escaliers, épier les faits et gestes des locataires, savoir ce que les gens font chez eux, suivre leurs mouvements dans les couloirs.

Donc il s'est fracassé le crâne il y a maintenant deux mois, et je me souviens encore que ce jour-là tout le monde dans l'immeuble avait eu peur à cause d'un brave type du deuxième étage qui regarde beaucoup les films policiers et qui nous avait expliqué qu'un inspecteur allait mener une longue enquête, qu'on allait passer dans les informations du soir à la télé, qu'on allait nous voir en chair et en os dans toute la France, y compris à Monaco et en Corse…

Je me souviens aussi que lorsque le voisin a glissé dans les escaliers j'ai arrêté d'écrire et j'ai ouvert ma porte parce que c'était comme des hurlements d'un sanglier qu'on égorgeait là-haut avec une scie à moteur qu'on voit dans le film *Scarface*. On l'entendait rebondir à chaque marche tel un sac de patates, du cinquième jusqu'au rez-de-chaussée où je me trouvais. Il a perdu connaissance devant ma porte à moi, les bras en croix. Les habitants de l'immeuble sont vite descendus, certains pieds nus, d'autres avec des serviettes autour de la taille. Comme on voyait qu'il était mort pour de bon, on s'est dit qu'il fallait qu'on appelle les pompiers. Or quelqu'un du sixième étage qui sait comment les choses se passent dans ces cas-là a déclaré que ce n'étaient pas les pompiers qu'il fallait appeler mais un croque-mort ou un médecin légiste parce que les pompiers ne traitent pas avec les morts lorsqu'il n'y a pas eu un incendie ou une noyade. Il nous a prévenus que ces derniers temps les pompiers ne rigolaient plus, ils en avaient assez qu'on les appelle pour de petits bobos de la maternelle toutes les trente secondes, et leur syndicat menaçait maintenant de faire payer les interventions farfelues.

– Celui qui appelle les pompiers, il paiera lui-même leur déplacement, pas moi ! a-t-il menacé.

On a alors laissé tomber l'idée de recourir aux pompiers, mais le cadavre était quand même là, devant nous. Le brave type du deuxième qui regarde trop les films policiers nous a avertis qu'on aurait bientôt la visite d'un gars teigneux, un cousin germain de l'inspecteur Columbo, qu'il viendrait avec son imper, qu'il aurait une vieille bagnole qui se garerait devant notre immeuble, qu'il fumerait son cigare qui pue, qu'il nous parlerait de sa femme, de son chien, qu'il ferait semblant de tout ignorer, qu'il nous piégerait, qu'il nous fatiguerait avec des questions par-ci par-là, qu'il chercherait des indices sous nos semelles, sur nos mégots de cigarettes, sur nos verres de bière, sur nos paillassons poussiéreux, sur nos capotes anglaises, dans les poches de nos vestes, sur les rouges à lèvres, sur les cravates mal nouées, sur les poignées encrassées de nos portes, dans le local des poubelles, qu'il discuterait avec l'Arabe du coin, puis avec les Chinois, puis avec les Pakistanais, puis avec les Indiens, puis avec les Grecs, puis avec les plombiers polonais, qu'il prélèverait les empreintes sur tous les paliers, qu'il voudrait savoir ce qu'on a fait avant le drame, ce qu'on a mangé deux jours avant, ce qu'on a bu un mois avant, qu'il étudierait nos rapports entre locataires, qu'il passerait du temps dans les caves, qu'il regarderait de très près les numéros de téléphone qu'on a composés – même les numéros verts –, qu'il s'attarderait aussi sur les appels qu'on a reçus, peu importe si on nous a appelés pour nous vendre un aspirateur d'occasion ou nous forcer à changer de compagnie de téléphone. En plus ce cousin de Columbo il convoquerait les personnes qui nous ont rendu visite depuis au moins vingt ans et demi. À la fin de tout ça certains parmi nous passeraient des heures en garde à vue dans un commissariat avec un avocat bègue qu'on leur commettrait d'office, et les policiers traiteraient ces suspects comme des cobayes de laboratoire pour expérimenter les nouvelles méthodes de torture qui viennent des États-Unis et qui servent à vite tirer les vers du nez à ceux qui jouent aux petits malins pendant les interrogatoires.

– Préparez vos alibis, notez-les un à un sur un bout de papier, nous a-t-il conseillé.

C'est à cet instant qu'un homme qui vit au septième, escalier A, nous a rappelé que lui il ne craignait rien, que ce n'était pas son affaire, qu'il avait ce qu'on appelle un « alibi en béton » : il n'avait pas été là pendant un mois, il était arrivé deux heures avant l'accident, il se trouvait en Dordogne, à

Champagnac-de-Belair, chez sa mère qui souffre d'un cancer depuis des années.

– En plus moi j'habite dans l'escalier A, or le drame s'est passé au B, donc vous voyez que moi c'est pas mon affaire ! Si le cousin germain de Columbo met ses pieds dans cet immeuble pour me déranger, je vous jure que je porte plainte, je prends comme avocat maître Vergès et j'envoie l'info aux gens qui s'occupent des Droits de l'homme dans ce pays !

Le brave type qui regarde les films policiers a ajouté que le cousin germain de Columbo irait jusqu'à Champagnac-de-Belair dans sa vieille bagnole et qu'il s'en foutrait des escaliers A ou B, qu'il convoquerait cette mère malade, cancer ou pas cancer, parce que en droit pénal la maladie n'excuse pas le meurtre et *vice versa*, et qu'il y aurait de toute façon du remue-ménage dans notre immeuble. Il a conclu qu'il ne fallait pas toucher au cadavre, que l'enquête ne durerait pas moins de deux ou trois ans et demi pour connaître les raisons de la chute et savoir si des gens parmi nous étaient impliqués dans l'histoire…

Malgré ça on est restés là à observer le cadavre parce qu'on n'avait pas tous les jours la chance de scruter un vrai macchabée tout frais dans son immeuble et non dans les films où les gens nous mentent et nous prennent pour des gamins en faisant semblant de mourir alors qu'on voit bien qu'ils respirent, que le sang qu'ils ont sur eux ce n'est que du ketchup qu'on vend au marché de la Chapelle.

On a entouré le corps, on spéculait encore sur ce qu'il fallait faire quand le type qui habite au premier s'est écrié :

– Regardez donc, il ne respire plus !

– Il n'est pas beau à voir, il faut vite le recouvrir d'un drap blanc, a rajouté l'homme qui revenait de Champagnac-de-Belair.

– Il a fait pipi sur lui, et puis y a même de la bave qui sort de sa bouche, a renchéri celui du troisième.

– C'est bizarre, est-ce que vous ne voyez pas qu'il a maintenant un œil qui est plus gros que l'autre ? a lâché une femme du quatrième.

– Ne le touchez pas ! Ne le touchez pas ! a hurlé celui qui regarde les films policiers.

Et c'est là que, tout d'un coup, le voisin s'est réveillé d'un geste vif et nous a crié dessus :

– Je ne suis pas mort ! Je ne suis pas mort !

On s'est écartés parce qu'il ressemblait à un fantôme qu'on voit dans les films d'horreur comme *La Nuit des morts vivants*.

– C'est qui donc qui vient de dire que moi j'ai un œil plus grand que l'autre, hein ? Est-ce que c'est la poufiasse du quatrième ? Ne me touchez pas, bande de salauds ! C'est quelqu'un qui m'a poussé et vous êtes tous des complices ! Vous allez m'entendre !

Il avait du sang sur le visage, quelques côtes bien cabossées, et il grimaçait de douleur. On a voulu se rapprocher de lui pour l'aider à se relever.

– Ne me touchez pas, assassins ! Y a quelqu'un qui a laissé une peau de banane dans les escaliers, il va m'entendre ! Je sais qui a fait ça !

On s'est tous regardés et, comme si quelqu'un avait pointé une arme à feu dans notre direction, on a levé les mains en l'air pour signifier qu'on n'était pour rien dans cette histoire de peau de banane. Puis le voisin s'est barricadé dans son appartement, il a passé sa journée à appeler les médecins de la ville, à bien les insulter comme il faut parce que ces toubibs ne comprenaient pas qu'un être normal puisse tomber du cinquième étage au rez-de-chaussée sans avoir été poussé par quelqu'un.

Et le voisin ne cessait de grommeler :

– Nom de Dieu ! Je vous répète qu'un Africain m'a piégé avec une peau de banane ! Et ce n'est pas la peau de n'importe quelle banane ! C'est une banane venue directement d'Afrique !

Moi je me demandais ce qu'il était allé foutre au cinquième alors qu'il habite au rez-de-chaussée comme moi. Voilà pourquoi il porte maintenant un pansement sur la tête et renifle à longueur de journée un petit flacon…

*

J'ai la malchance d'avoir mon studio collé à l'appartement de ce voisin. Je l'entends ricaner comme une hyène devant sa télé ou rugir au téléphone lorsque le médecin qu'il a en ligne lui dit qu'il ne pourra pas se rendre à son domicile pour le soigner. Il lui rappelle le serment d'Hippocrate et promet de le faire rayer de l'ordre des médecins de la ville :

– Ne trahissez pas le serment d'Hippocrate ! Vous avez prêté serment, docteur ! Vous avez juré de donner vos soins à l'indigent et à quiconque vous le demandera !

À force de l'entendre dire ce nom d'Hippocrate, on a fini par le surnommer monsieur Hippocrate. Comme il ne peut pas insulter la terre entière, eh bien c'est sur moi qu'il se défoule. Monsieur Hippocrate aime cultiver son petit jardin à mes dépens. Il affirme par exemple que, comme la plupart des Noirs qu'il connaît, je mets toujours la charrue avant les bœufs, je ne vaux pas une cacahuète, j'ai une tête de chou, j'ai un cœur d'artichaut, je n'ai pas un radis, je suis haut comme trois pommes, j'ai un pois chiche dans la tête, je raconte des salades, je mange des pissenlits par les racines, je ne suis qu'un gros légume…

Quand sa colère le pousse presque à la folie il cogne contre le mur, se plaint que les gens viennent trop chez moi, que c'est moi qui creuse le trou de la sécu, que mon studio c'est le marché de Château-Rouge, le quartier général de la pègre africaine, qu'on ne sait pas ce que nous fabriquons dedans en bande, qu'on s'y adonne peut-être à des orgies entre hommes – voire avec des bêtes sauvages –, qu'on y fabrique de faux billets, qu'on fume de la moquette ou du gazon sec, qu'on se livre à un trafic illégal de je ne sais quelle drogue nouvelle, qu'on fout le bordel dans « son immeuble à lui » alors que c'était encore un bâtiment calme et agréable à vivre avant l'arrivée massive des tirailleurs sénégalais et des indigènes de la République. Il dit que les colons n'ont pas bien terminé leur boulot, qu'il leur en veut à mort pour ça, qu'ils auraient dû nous fouetter encore plus pour nous inculquer les bonnes manières. Le problème des colons français c'est qu'ils ne sont jamais allés jusqu'au bout des choses…

*

Monsieur Hippocrate n'est qu'un locataire, pourtant il se comporte en propriétaire. On le prend pour le concierge de l'immeuble puisque son appartement est juste à l'entrée du bâtiment, et il arrive que le facteur vienne déposer les colis et les lettres recommandées d'autres occupants devant sa porte. Hélas, les locataires concernés doivent aller récupérer tout ça dans le local des poubelles, au sous-sol.

Je ne sais pas comment il s'arrange pour savoir que j'ai un mois de loyer en retard ou que je n'ai pas assuré mon studio chez son assureur à lui, au bout de la rue. Sans compter qu'il prétend qu'il y a des bruits et des odeurs quand mes amis et moi nous préparons de la nourriture et écoutons de la musique de notre pays d'origine pour oublier un peu les tracas de la vie quotidienne. La nostalgie, il ne sait pas ce que c'est. Lui son pays c'est la France, et il me gueule sa fierté d'être né français de souche. Je l'ai par exemple entendu râler que la France ne peut plus héberger toute la misère du monde, surtout ces Congolais qui n'arrêtent pas de se pointer à la frontière alors qu'ils ont du pétrole et du bois bandé chez eux. Y a d'autres pays en Europe, on n'a qu'à aller vivre là-bas ou retourner chez nous dans nos cases en terre battue. Et il sortait ces inepties en me défiant du regard. Je me disais qu'il allait m'égorger dans le local de poubelles puisqu'il était un peu ivre. Mais il s'était saoulé la gueule juste pour avoir le courage de me vomir ces choses qu'il avait accumulées dans son cœur depuis très longtemps.

Parfois j'ai envie de lui casser la gueule, mais à quoi bon puisque les escaliers s'en chargent ? Je ne veux pas avoir de pépins. Y a des gens comme ça, tu les vois, tu penses qu'ils sont en bonne santé, tu les bouscules un peu et tu t'attires les ennuis parce qu'il suffit qu'ils aillent se cogner eux-mêmes contre un mur – même en contre-plaqué – pour qu'on raconte qu'il y a eu voies de fait ou coups et blessures volontaires ayant entraîné la cassure de pipe.

Ses provocations à lui, je n'en tiens donc plus compte. Or il me cherche, il me cherche. Il veut l'affrontement. Il me vole mes paillassons et jette des fruits pourris devant ma porte. Je sais que c'est lui, rien que lui, je ne vois pas qui dans cet immeuble pourrait agir de la sorte. Avec les autres habitants je n'ai aucun problème…

*

L'acharnement de monsieur Hippocrate contre moi avait commencé dès les premiers jours où je m'étais installé dans ce studio. Comme mon ex m'avait rappelé un soir de ne pas oublier d'aller déposer la poubelle dans le local, je suis descendu au sous-sol avec une torche. J'ai senti qu'il y avait un souffle derrière moi. Quelqu'un marchait à pas feutrés. Je me suis retourné, et c'était la silhouette de monsieur Hippocrate.

– Donc votre pays à vous c'est le Congo, n'est-ce pas ? m'a-t-il demandé sans me dire comment il l'avait su.

– Oui, j'ai répondu.

– Est-ce que vous avez regardé la télé hier soir ?

– Non, j'étais occupé, je n'ai pas pu regarder la télé…

– Ah les pauvres Congolais, il faut faire quelque chose pour eux ! Y a des maladies, y a la famine, ils ont plusieurs femmes, et puis ils se battent tout le temps, les pauvres ! Et leur président à eux les Congolais en question, comment qu'il s'appelle déjà ?

– Denis Sassou Nguesso…

– Ah non, ah non, c'est pas ce nom que j'ai entendu à la télé ! C'est pas du tout ce nom ! C'était un nom plus long, plus africain, je veux dire un peu barbare comme ça…

– Mobutu Sese Seko NKuku Wendo Wazabanga ?

– Oui ! Oui ! Oui ! C'est ce nom-là ! Il faut faire quelque chose, les pauvres Congolais ils vont tous mourir de faim, de sida ou à cause des guerres tribales…

– Il est déjà mort ce président Mobutu, vous avez sans doute vu un reportage sur l'ancien Zaïre et le régime de Mobutu qui…

– Non, il n'est pas mort Mobutu ! Je l'ai bien vu à la télé hier soir ! C'est votre président, et il était en forme ! Il faisait un discours dans un stade plein à craquer. Paraît-il que c'est dans ce stade-là qu'il a assassiné et enterré Patrice Lumumba. Ce Mobutu il fait souffrir son peuple, c'est un vilain, c'est un méchant, c'est un dictateur, on devrait envoyer les Américains faire un peu du nettoyage à sec là-bas ! Ce type il fait honte à votre race à vous, c'est inadmissible ! Moi si j'étais africain je m'insurgerais, j'irais combattre ce dictateur. La démocratie, est-ce qu'il en sait quelque chose, votre président-là ? Il vend vos diamants, il achète des résidences en Europe, est-ce que c'est normal, ça ?

Comme je ne bronchais pas, monsieur Hippocrate a relancé :

– Et vous, en tant que Congolais lâchement installé en Europe, qu'est-ce que vous faites de concret pour votre pauvre pays où y a des maladies, où y a la famine, où les hommes ont plusieurs femmes à la fois et puis ils se battent tout le temps, hein ?

– Je suis de l'autre Congo, le petit Congo, le Congo-Brazzaville. Il y a un autre Congo qui est plus grand et qui…

– Non il s'agissait de votre pays hier à la télé, avec le président qui a un long nom et qui porte des lunettes et un chapeau en peau de léopard. Il marche avec une canne ! Est-ce que vous voulez me dire que vous ne connaissez pas votre propre président ? C'est scandaleux ! Je vous dis que je l'ai vu de mes propres yeux à la télé !…

*

Du temps où ma compagne et notre fille vivaient encore ici, monsieur Hippocrate nous guettait déjà à travers son judas dès qu'il y avait du bruit sur le palier. Je le savais parce que je pouvais l'entendre avancer à pas de chat, retenir sa respiration de batracien derrière sa porte. Et quand notre fille était née, il voulait savoir si j'avais des triplés et non un seul bébé parce qu'un seul enfant ne pouvait pas piailler comme toute une école maternelle. Et il est allé larmoyer auprès de notre propriétaire commun qu'il y avait des groupuscules d'Africains qui semaient la zizanie dans l'immeuble, qui avaient transformé les lieux en une capitale des tropiques, qui égorgeaient des coqs à cinq heures du matin pour recueillir leur sang, qui jouaient du tam-tam la nuit pour envoyer des messages codés à leurs génies de la brousse et jeter un mauvais sort à la France. Qu'il fallait renvoyer ces Y' a bon Banania chez eux sinon lui il ne paierait plus son loyer et ses impôts, qu'il irait faire une déposition au commissariat de la police du quartier, et que ces immigrés auraient droit à un aller simple dans un charter même si c'est le contribuable français qui devait payer les frais de ce retour au pays natal.

J'accepte tout ça. J'ai rien à rajouter sur ses élucubrations parce qu'on nous a toujours appris au pays qu'il faut respecter les aînés, surtout lorsqu'ils ont des cheveux gris comme c'est le cas pour monsieur Hippocrate. Je lui rappelle chaque fois que je suis d'accord avec lui, que si les nègres ont le nez épaté c'est simplement pour porter des lunettes et que l'homme noir ne vit pas seulement de pain, mais aussi de patates douces et de bananes plantains.

Et comme je ne suis pas du genre à chercher noise à qui que ce soit je me suis dit qu'il faut que je déménage d'ici. Contrairement à mon ex qui n'aimait pas la banlieue, je suis prêt à aller y habiter, mais pas à retourner dans le studio de Château-d'Eau où je vivais avant avec plusieurs de mes compatriotes. Dans la vie il ne faut jamais retourner à la case départ.

J'ai visité plusieurs studios dans le quartier. Rien à faire. Il me faut de bonnes fiches de paie, mais je travaille à mi-temps depuis que mon ex est partie, et je ne sais pas comment je vais réussir à quitter ces lieux.

Je ne parle plus à monsieur Hippocrate. Je m'arrange pour rentrer quand il dort déjà. Et lorsqu'on se croise sur le palier ou dans le local des poubelles, on se défie du regard. Lui il crache par terre et hurle :

– Espèce de Congolais ! Ta femme est partie ! Retourne chez toi !

Si j'étais vraiment méchant comme lui il y a bien longtemps que je lui aurais aussi lancé :

– Espèce de Martiniquais ! Retourne chez toi !

Quand j'inspecte les contours de mon visage dans le miroir je me dis que je ne suis pas mal comme mec. Je n'ose même pas me comparer avec le troubadour qui a emmené avec lui mon ex et ma fille. Entre lui et moi c'est le jour et la nuit. Je suis grand, bien proportionné ; lui c'est un nabot, on ne le voit pas quand il passe. Si on ne fait pas attention on peut lui marcher dessus ou on peut croire que c'est un animal à quatre pattes et sans queue. J'ai une petite moustache, je suis beau ; lui on dirait un primate qui aurait raté de justesse sa mutation vers l'espèce humaine. Donc le surnom de L'Hybride que je lui ai donné lui va comme un gant. Quant à sa manière de s'habiller, c'est la catastrophe ! Est-ce que c'est parce qu'on est artiste qu'il faut s'habiller comme ça ? C'est du pipeau, je connais des artistes qui sont toujours bien sapés avec des lunettes noires et un éventail pour mieux frimer. Moi je ne rigole pas avec l'habillement, mes amis du Jip's le savent, y compris Roger Le Franco-Ivoirien. C'est pas pour me vanter, mes costumes sont taillés sur mesure. Je les achète en Italie, plus précisément à Bologne où j'écume les magasins, m'arrêtant à chaque boutique le long des arcades de cette cité. Lorsque j'ai emménagé ici je ne savais pas où ranger tout ça. J'ai six grosses malles d'habits et de chaussures – pour la plupart des Weston en croco, en anaconda ou en lézard, et je possède aussi des Church, des Bowen et autres chaussures anglaises.

Si je suis toujours habillé en costard c'est qu'il faut « maintenir la pression », comme on dit dans notre milieu de la Société des Ambianceurs et des Personnes Elégantes, la SAPE, une invention de chez nous, née dans le quartier Bacongo, à Brazzaville, vers le rond-point Total, polémique à part. C'est nous qui avons exporté la Sape à Paris, qu'on ne me raconte pas le contraire surtout que les faux prophètes pullulent ces derniers temps dans les rues de la Ville lumière au point qu'il est désormais difficile de séparer le bon grain de l'ivraie.

On m'objectera sans doute que les Ivoiriens et les Camerounais sont aussi des Sapeurs. Voyons, ils ne s'y sont mis que bien après parce que, les pauvres, ils se plaignaient que leurs femmes nous couraient après. Alors, ils se sont imaginé que c'était à cause de nos Weston et de nos vestes Gianni Versace. Pourtant lorsque ces Ivoiriens désespérés et ces Camerounais désemparés portent les mêmes vêtements que nous, il n'y a pas photo, c'est le jour et la nuit, le Sapeur congolais l'emporte grâce à sa touche inimitable, c'est pas du chauvinisme, c'est la dure réalité, et je n'y peux rien pour eux…

Vestes en lin d'Emanuel Ungaro qui se froissent avec noblesse et se portent avec délicatesse. Vestes en tergal de Francesco Smalto. Vestes en laine vierge 100 %, voire 200 %, avec un tissu pur Cerruti 1884. Chaussettes jacquard. Cravates en soie, certaines avec des motifs de la tour Eiffel ou de l'Arc de triomphe. Voilà ma touche. Voilà entre autres ce qu'il y a dans mes malles…

Amoureux des cols italiens à trois ou quatre boutons, j'aime les ressentir autour de mon cou, droits, doublés, infroissables. Dis-moi comment tu noues ta cravate, je te dirai qui tu es – voire qui tu hantes. Les gens qui passent à la télé ne savent pas tout ça. Ils achètent leurs cravates dans le premier magasin venu et ils osent afficher leur bouille devant la France entière, y compris à Monaco et en Corse. C'est inadmissible. Et quand je regarde un débat à la télé, comme la fois dernière, je peux lire le comportement des invités rien qu'en détaillant leur cravate.

Devant le Jip's il m'arrive d'éprouver de la commisération, d'éclater de rire ou de retenir à peine mon envie d'aller secourir l'imbécile qui aurait négligé ce petit détail qui fait la différence.

En gros, j'ai constaté que les timides ont des nœuds bien serrés, et dans notre milieu nous les appelons les suicidés. Quant aux brutes – que nous appelons les macros –, ils ressemblent à des pendus avec leur nœud près de la gorge pendant que les prétentieux gonflent exagérément le leur. Ils méritent le nom de couvercle de marmite puisqu'ils croient dur comme fer que le meilleur est toujours à l'extérieur et non à l'intérieur.

Ceux que nous qualifions de taureaux sans allure sont désordonnés, ont des nœuds en dos d'âne, ne s'en rendent même pas compte jusqu'au jour où, désespérée, leur amoureuse leur fait la remarque.

Les austères et les méticuleux – ou prêtres dans notre langage – se soucient sans cesse que leur cravate ne bouge pas. Ils sont capables de passer une journée à rajuster leur nœud. Les bavards – ou les moineaux – ont un nœud desserré.

Les cocus – ou les cuits – ont le leur de côté, parfois à l'envers. Dois-je rappeler que moi je ne suis pas un cocu puisque je n'étais pas marié avec mon ex ?

Enfin, les égoïstes, les pingres, les ingrats, autrement dit les fourmis, eux ils ne changent pas de nœud jusqu'à l'usure de la cravate. Ils n'ont jamais appris comment la nouer, ils font confiance aux vendeurs, ne délient jamais le nœud que ceux-ci ont réalisé dans le magasin, devant la caisse.

Et dire que quelques esprits malins prêchent du haut de leur cécité que l'habit ne fait pas le moine ! Mon œil ! Ils n'ont rien compris, eux. Si l'habit ne fait pas le moine, c'est pourtant par l'habit qu'on reconnaît le moine. Et parfois l'habit peut nous causer des ennuis. J'en ai eu d'ailleurs la preuve quand on m'avait pris pour celui que je n'étais pas. C'était une humiliation, je n'en suis toujours pas revenu.

Je me trouvais alors à la gare du Nord et devais me rendre à La Courneuve chez mon cousin qui organisait une fête. Quelques types bien de la négraille parisienne avaient été conviés et je savais au fond que c'était pour aller exhiber les derniers costumes en vogue sur la place de Paris. Quand c'est comme ça on arrive toujours bien sapés, bien parfumés et bien rasés, on se toise en chiens de faïence, on inspecte un peu les quatre coins de la baraque, question de voir s'il y a quelques nouvelles filles du pays qui valent la peine qu'on s'y attarde parce que quand ces gazelles sauvages débarquent à Paris avec leur crasse on ne doit pas leur laisser le temps de comprendre comment marchent les métros ou à quel guichet elles doivent s'adresser pour les allocations familiales. Si on leur laisse du temps, eh bien elles sont capables de te creuser encore plus le trou de la sécu. Il faut donc vite leur mettre la main dessus avant même qu'elles n'arrivent à maîtriser ces choses, à gommer leur accent de culs-terreux pour te répondre d'un air de dédain et ne plus sortir qu'avec les petits Blancs qui vont pourtant les jeter par la suite comme des Kleenex que vend notre Arabe du coin. C'est dire que pour nous c'est de la routine, mais on aime ça, et il ne faut surtout pas aller dans ces fêtes avec sa copine ou sa femme, on n'emmène pas un sandwich au restaurant. On ne sait jamais si on va plutôt s'intéresser à une gazelle bien grasse et fraîchement débarquée. C'était toute une histoire pour expliquer à mon ex que c'était mieux qu'elle reste à la maison. Je lui disais qu'elle allait s'embêter, qu'elle allait bayer aux corneilles, que personne ne lui parlerait parce que dès qu'on rassemble les Congolais dans un coin, même dans un mouchoir de poche, ils se mettent aussitôt à brailler dans leurs patois – et Dieu sait que nous en avons tellement qu'on se demande comment nous nous arrangeons pour nous comprendre dans notre tour de Babel. Et puis comme mon ex ne buvait pas d'alcool, je rajoutais que les gens de chez moi ont horreur de l'eau, du jus d'orange et autres jus de fruits, boire les trucs de ce genre devant eux c'était les insulter. Et elle battait en retraite, me donnait le feu vert…

Ce jour-là j'avais donc réussi une fois de plus à la dissuader de venir avec moi. J'avais passé l'après-midi à argumenter comme un vendeur à la sauvette. Je regardais sans cesse ma montre, ce qui n'était pas de nature à la rassurer.

– Pourquoi tu es pressé comme ça puisque ce n'est qu'une fête de Congolais qui parlent dans leurs patois ?

Je tournais en rond dans notre studio. Je ne savais plus quel costume porter. J'avais ouvert toutes les malles et étalé les habits par terre et sur le lit. J'ai finalement mis un costume Yves Saint Laurent vert bouteille avec des Weston bordeaux. Même notre Arabe du coin est sorti de son établissement quand il a senti mon parfum. Il m'a salué de loin en levant très haut son pouce. Moi je lui ai souri, j'ai longé notre rue en direction des boutiques des Chinois et des Pakistanais pour atteindre la station de métro Marx-Dormoy.

J'aurais pu prendre un taxi, mais pourquoi se priver des regards des passants ? J'ai alors marché de Marx-Dormoy jusqu'à la Chapelle, puis je suis arrivé à l'entrée principale de la gare du Nord.

On aurait dit un grand marché où on se disputait les dernières marchandises à la veille d'une guerre mondiale. Les gens couraient partout. Certains ne quittaient pas des yeux les écrans qui annonçaient les heures de passage des trains. J'étais pris, moi aussi, dans le même piège : il y avait une grève générale des transports.

Je suis arrivé sur le quai en jouant des coudes. On suffoquait presque, mais personne ne voulait ressortir de ce trou à rames parce que pendant une grève c'est quand on décide de rebrousser son chemin que le train arrive. Y a pas d'horaires crédibles, les types de la RATP ou de la SNCF jouent avec les nerfs des usagers. Ils débitent des messages incompréhensibles dans les haut-parleurs. Ils vous conseillent de sortir de la station, d'aller en surface, de traverser la rue Magenta, puis la rue Lafayette, puis la rue de Strasbourg, et là de trouver par enchantement un bus qui vous déversera tels des suppliciés vers l'est de Paris, et tant pis pour vous si vous alliez vers l'ouest parce que c'est de ce côté-là que les fonctionnaires sont vraiment en colère depuis dix ans et demi.

Les gens n'arrêtaient pas de me regarder. Je me disais que c'était l'effet de mon costard, de mes chaussures et de mon parfum. Alors je réajustais la cravate, je redressais mon pantalon afin qu'il tombe bien sur les chaussures. J'ai ouvert les trois boutons de la veste, une technique pour mettre en valeur ma ceinture Christian Dior. Et puis, tout à coup, un type s'est libéré de la foule à la manière d'un rugbyman qui tente de marquer un essai dans un espace aussi étroit qu'une cabine téléphonique. Il était tellement crasseux que je me suis dit qu'il s'était échappé de *Trilogie sale de La Havane* de Pedro Juan Gutiérrez, le roman que j'avais emprunté chez mon ami, l'écrivain haïtien Louis-Philippe, et que je lisais depuis quelques jours dans les transports.

Le type est venu me lancer à brûle-pourpoint :

– Monsieur, pourquoi vous êtes encore en grève, hein ? Est-ce que vous ne trouvez pas que vous abusez quand même ? Vous avez tous les avantages sociaux et tout le bazar, et vous pourrissez la vie des pauvres usagers ! Et puis on se plaint qu'y a plus d'emplois en France alors que la fonction publique est bourrée de fainéants, de mantes religieuses et d'escargots de votre espèce ! Ça vous fait jouir de prendre les gens en otages comme ça, hein ? Moi je dis qu'on devrait faire le ménage à l'eau de Javel à la SNCF et à la RATP ! Faut nous virer tous ces cons qui traînent dans la rue avec des pancartes au lieu d'être derrière leur guichet ou aux commandes des trains ! Maintenant, dites-moi à quelle heure est le prochain RER puisque même ces écrans de merde ne marchent plus, hein ?

J'avais rien compris à l'instant, moi. Les gens me hurlaient tous dessus et donnaient raison à mon agresseur :

– Ah oui, il faut tous les virer, ces connards ! Ils sont en grève vingt-neuf jours sur trente !

– Bien parlé ! Y en a marre des grèves !

– Bande de fainéants !

– Prenez la retraite anticipée ! Place aux jeunes !

– Qu'est-ce que vous faites sur le quai au lieu de nous trouver un train, hein ?

Et comme je restais muet, le premier type nerveux a disparu dans la foule en me traitant de tous les noms ignobles qui auraient énervé et révolté ceux qui ont encore du temps libre dans leur existence pour chanter les vertus de la négritude, mais en tout cas pas moi.

J'ai mis du temps avant de comprendre pourquoi on s'en prenait à moi. Puis j'ai aperçu un agent de la RATP. Et c'est alors que j'ai réalisé que nos costumes avaient la même couleur…

Mon ex est une fille du pays, mais comme elle est née à Nancy, on peut dire qu'elle est aussi un peu française. C'est pour ça qu'elle ne comprenait pas trop le comportement des gens de chez nous quand ils se mettaient à crier dans les rues de Château-d'Eau ou de Château-Rouge. On en voyait qui hurlaient dans une cabine téléphonique de la rue de Strasbourg, ils s'égosillaient, croyaient sans doute que s'ils parlaient normalement on ne les entendrait pas à l'autre bout du fil. Mon ex était alors folle de rage, elle disait qu'elle n'en pouvait plus de ces gens-là. Moi ça m'arrangeait qu'elle pique ces colères-là parce que je jouais sur ça pour aller seul dans les fêtes de la négraille parisienne où je chassais sans merci les gazelles sauvages qui débarquaient en troupeau pour la première fois dans la capitale.

Je lui disais, d'un air plaintif :

– Y a une fête des Congolais demain soir à Garges-lès-Gonesse. Oh, c'est pas une fête terrible, je vais y aller, mais c'est simplement pour faire acte de présence pour ne pas qu'on me colle sans cesse la mauvaise réputation du compatriote qui se la joue individualiste parce qu'il est en France. C'est grave une telle réputation parce que le jour où je vais mourir les Congolais ne viendront pas à la morgue, ils ne vont pas se cotiser pour rapatrier mon corps au bercail. J'aimerais bien que tu viennes aussi, mais tu vas en avoir marre, y aura plusieurs tribus, et pas n'importe lesquelles, les Bembé et les Lari ! Ceux-là viennent tout droit de la brousse profonde où il n'y a pas d'électricité. Je te jure qu'ils vont hurler toute la nuit jusqu'à l'arrivée des flics, ils vont pisser à l'entrée de l'immeuble, sans compter qu'ils fumeront chacun pas moins d'une cartouche de cigarettes par heure, et comme tu es enceinte, j'ai pensé que…

Elle me coupait sèchement :

– Écoute, va voir tes frères toi-même ! Et ne compte surtout pas sur moi sinon je leur dirai ce que je pense de leurs manières de rustres ! Comment les gens peuvent pisser devant un immeuble et fumer comme ça ?

On avait des discussions sérieuses sur ce qu'elle prenait comme des vérités figées quant à notre condition à nous les nègres alors que c'étaient des clichés en noir et blanc. C'est vrai que moi-même je forçais souvent la caricature de nos mœurs pour parvenir à mes fins, et donc aller seul dans ces fêtes très courues. Pourtant lorsqu'il le fallait je remettais les pendules à l'heure. Je faisais tomber les murs en béton qu'elle avait dans son esprit, et ce n'était pas une sinécure. Elle était certaine, comme Roger Le Franco-Ivoirien, que nos ancêtres à nous c'étaient les braves Gaulois et qu'on était tous des petits-fils nègres de Vercingétorix. C'est moi qui lui ai appris que ce Tarzan musclé et blond qu'elle aimait depuis son enfance et qui sautait avec aisance de liane en liane en compagnie des animaux sauvages n'était pas en fait le roi de notre jungle à nous ; que même ce Tintin qui était gentil, brave et intelligent avec sa coiffe pointue au-devant avait aussi raconté des salades vertes sur le Congo parce que, entre nous, soyons objectifs : est-ce que moi je ressemble aux nègres qu'on voit dans les aventures de *Tintin au Congo* ? Ces grosses lèvres roses qu'on nous collait dans ces aventures-là c'étaient pas les vraies lèvres des Congolais même si à l'époque certains livres d'histoire rapportaient qu'on n'avait pas tout à fait achevé notre mutation du singe vers l'homme et qu'on se grattait encore le dos avec les orteils.

Mais mon ex n'était pas convaincue de mes explications. Elle argumentait, elle contredisait, elle citait ces bouquins d'histoire que les Blancs avaient écrits entre deux expéditions coloniales et des batailles perdues contre Chaka Zulu qui s'amusait à les piéger à l'aide de la tactique de la terre brûlée. Elle me parlait des cases en terre battue, des cabanes dans les arbres, de la magie noire des Africains, de la sorcellerie qui rendait l'être humain invisible, des marécages qui avalaient les arbres, des animaux en liberté, de la terre rouge qui encrassait le visage des enfants au ventre ballonné. Je lui rétorquais qu'on ne vivait pas au cœur de ces ténèbres-là, que certains Africains n'ont jamais aperçu un éléphant ou un gorille et que parmi eux certains n'avaient vu ces animaux que dans les parcs zoologiques d'Europe ou dans le film *King Kong*. Fallait donc pas qu'elle s'imagine que les bêtes sauvages nous autres on les tenait en laisse pour les emmener à l'école, jouer avec elles pendant la récréation avant de les raccompagner en toute courtoisie dans la jungle où leurs parents nous attendaient au bord du fleuve Congo pour nous remercier de notre gentillesse.

Puisqu'elle était friande de mes histoires de gamin au pays, je lui narrais aussi comment on avait survécu sans jouets de Noël, on jouait au football avec un ballon pas du tout rond, il fallait pourtant tirer tout droit, dribbler seul onze joueurs regroupés, marquer des buts comme si le ballon était rond. Alors on frappait dans ce ballon fabriqué avec des chiffons, on voulait être un jour des champions parce que les grands nous avaient appris que c'est avec un ballon plat comme ça que le roi Pelé avait commencé à jouer et avait été le plus jeune champion à dix-sept ans. Il avait marqué six buts au championnat du monde de 1958 en Suède, disaient ces grands comme s'ils étaient présents au moment de cet exploit du petit phénomène brésilien. Et donc on était tous des Pelé, on dribblait, on tirait des coups pas très francs, on taclait des jambes imaginaires, on faisait des amortis du dos et non de la poitrine, on exécutait des ailes de pigeon voyageur, on imaginait des lignes même pas médianes, on pénétrait dans des surfaces où il n'y avait rien à réparer et on souhaitait que l'adversaire vienne nous faucher et qu'on nous accorde un penalty qu'on allait rater à cause de notre mauvaise foi. Il n'y avait pas de carton rouge parce que le rouge c'était la couleur de notre Parti unique qui interdisait qu'on l'utilise à tous vents. Donc il n'y avait que des cartons jaunes dans ces rencontres, et certains joueurs en recevaient au moins trente dans chaque match puisqu'on ne savait pas quelle couleur de carton montrer au joueur pour le sortir définitivement du terrain. J'expliquais aussi à mon ex comment avant ces matchs on allait d'abord chez le féticheur qui nous fabriquait des gris-gris et nous promettait l'invincibilité. Il nous faisait dormir au cimetière du quartier Mouyondzi où les diables ne badinent pas avec le football et sortent de leur tombe pour jouer à la place des vivants. Il y avait ainsi un diable derrière chaque joueur, et nos buts à nous entraient tout seuls au fond des filets avant même qu'on ne touche au ballon plat. Parfois ça rentrait, parfois ça ne rentrait pas. Et quand ça ne rentrait pas, ce n'est pas pour autant qu'on engueulait le pauvre féticheur. Il n'était pas Dieu. Il avait fait son boulot, les diables aussi avaient fait le leur. C'était notre faute à nous puisqu'on ne respectait jamais ce que le féticheur nous avait conseillé la veille du match : se réveiller le matin en ouvrant d'abord l'œil droit, puis l'œil gauche ; sortir du lit en posant par terre le pied droit en premier ; ne pas toucher les parties génitales pendant vingt-quatre heures ; ne pas saluer les filles – surtout les sœurs et les mères – jusqu'à la fin de la rencontre ; ne pas se retourner quand quelqu'un t'appelle, toujours attendre qu'il arrive à ta hauteur même si c'est ton père ou ta mère ; ne pas prendre une seule goutte de pluie – or nos rencontres en question elles ne se déroulaient que pendant la saison des pluies. On était comme ça, on se disait que d'autres jeunes ne pouvaient pas mieux s'amuser que nous dans les pays étrangers, et on était heureux dans notre monde à nous, avec nos chemises en lambeaux, avec nos sandales usées mais qui tenaient au pied grâce aux fils de fer ; on était comme ça, avec nos culottes trouées aux fesses et tout le bazar de la vie quotidienne de ceux qui n'avaient rien inventé, ni la poudre ni la boussole, de ceux qui n'avaient pas su dompter la vapeur ni l'électricité, de ceux qui n'avaient exploré ni les mers ni le ciel.

Et mon ex, touchée, me demandait :

– Est-ce que ça vient de toi toutes ces choses sur la poudre, la boussole, la vapeur, l'électricité, les mers et le ciel ?

Je lui répondais que c'était pas de moi, que c'étaient des trucs qu'on avait appris à l'école, au pays, et qu'on n'enseignait pas aux Européens. Ça venait d'un type en colère, un poète noir qui disait des paroles courageuses. Il avait écrit ça quand il était rentré dans son pays natal et avait trouvé son peuple qui avait faim, des rues sales, du rhum qui dynamitait son île, des gens qui ne se révoltaient pas devant leur condition et cette main invisible qui les assujettissait. Ce type en colère, fallait pas blaguer avec lui car il avait aussi écrit noir sur blanc : *Parce que nous vous haïssons, vous et votre raison, nous nous réclamons de la démence précoce, de la folie flambante, du cannibalisme tenace…*

Elle devenait alors toute triste. Comme je me reprochais de la laisser dans cet état d'abattement, il me fallait inventer d'autres histoires qui parlaient d'amour pour la divertir, qu'elle ne dorme pas avec ces idées noires de la démence précoce, de la folie flambante et du cannibalisme tenace de notre poète courageux.

On était étendus dans le lit, il était presque minuit lorsque je lui parlais de ma voix la plus grave. Je lui racontais comment on apprenait à baratiner les filles pour la première fois. On redoutait ce moment-là, on allait consulter un grand frère du quartier qui s'appelait Grand Poupy parce qu'il était toujours entouré de filles et il n'avait pas la gorge sèche quand il leur parlait. Il avait baratiné toutes sortes de filles : les grandes, les petites, les poids coq, les poids plume et même les poids très lourds. Il prétendait alors qu'il possédait un permis tout-terrain. Les filles défilaient devant la porte de sa chambre qui donnait sur l'avenue de l'Indépendance. On était là à compter le nombre des victoires de Grand Poupy. Lui n'avait pas peur de toucher les cheveux des filles, de les prendre par la main, et parfois de pincer leurs fesses qui nous faisaient rêver. Et ces filles rigolaient au lieu d'aller se plaindre chez leurs parents ! Pendant ce temps nous ne regardions les filles que de très loin. On avait le ventre noué, on avait envie de faire pipi dès qu'une d'elles nous regardait droit dans les yeux. C'est comme si un tremblement de terre nous avait terrassés, et il nous arrivait de pleurer tellement l'émotion nous figeait en statue de sel. Si on regardait les filles de loin c'était aussi pour ne pas avoir de problèmes. Nos parents nous avaient avertis qu'elles avaient un scorpion très méchant dans leur sexe, et que ce scorpion piquait le sexe des garçons.

Tous nos espoirs reposaient donc sur Grand Poupy. On lui payait dix francs CFA – c'était lui qui avait fixé le tarif – pour qu'il nous apprenne ce qu'il fallait dire lorsqu'on croisait une fille qui sortait de la parcelle de ses parents pour se rendre au marché. Selon Grand Poupy il fallait relever la tête, se tenir droit tel un militaire au garde-à-vous, bloquer la respiration pendant dix secondes, expirer légèrement, puis demander à la fille :

– Tu vas où comme ça ?

Toujours d'après Grand Poupy la fille nous répondrait forcément :

– Je vais au marché.

Et nous on devait une fois de plus relever la tête, se tenir droit tel un militaire au garde-à-vous, bloquer la respiration pendant cinq secondes et non dix, puis dire de façon autoritaire, le regard un peu en biais :

– Je t'accompagne ! Donne-moi ton panier !

Grand Poupy avait raison. Les filles acceptaient le plus souvent. Mais nos malheurs commençaient aussitôt puisqu'il fallait converser avec elles alors qu'on n'avait pas en tête les autres questions que Grand Poupy nous avait apprises du genre : Tu mesures combien ? Tu pèses combien ? Est-ce que tu as déjà fait l'amour ? Tu as mangé quoi hier ? Est-ce que tu as balayé la cour de tes parents avant de sortir ? Est-ce que tu es intelligente à l'école ? Quelle est la capitale du Népal ? Quelle est la superficie de notre pays ? Qu'est-ce qu'un pays non aligné ? Hitler était-il allemand ou autrichien ? Quel est le prénom de Victor Hugo ?

On était tellement surpris de marcher près de la fille que notre cerveau était vide. On se crispait, la route nous paraissait très longue pour arriver jusqu'au marché. Et les gens qui te voyaient transpirer derrière la fille croyaient tous que tu n'étais chargé que de porter son panier parce que tu étais le boy de ses parents…

Comme mon ex éclatait de rire, j'ajoutais aussitôt qu'avec le temps on ne croyait plus aux baratins de Grand Poupy qui nous coûtaient trop cher pour rien. C'est pour ça qu'on allait plutôt consulter un bon féticheur du quartier Trois-Cents comme pour les matchs de football avec les ballons qui ne sont pas du tout ronds. Le féticheur nous demandait de rapporter les cheveux de la fille et on allait traîner là où la dulcinée se faisait des tresses avec ses copines. Les filles étaient parfois une demi-douzaine à se trousser à tour de rôle. On prétextait de les aider, de balayer les lieux puis, pendant qu'elles étaient distraites on piquait leurs mèches de cheveux sans savoir à qui elles appartenaient parce comment toi tu peux séparer les cheveux des femmes noires ? Dans d'autres contrées c'est plus facile puisqu'il y a des blondes, des brunes, des rousses avec ou sans taches de rousseur et que sais-je encore. On volait n'importe quelle mèche de cheveux par terre parce qu'on se disait que peu importe la couleur du chat pourvu qu'il attrape la souris. On courait chez le féticheur avec notre butin, il mélangeait ces cheveux avec des trucs à lui et il nous récitait des choses qu'on ne comprenait jamais alors qu'on était de la même ethnie que lui. Parfois ça marchait, parfois ça ne marchait pas.

Puisque mon ex était souvent incrédule à ce stade de mes histoires et qu'elle voulait du concret, eh bien je lui racontais comment j'avais vu de mes propres yeux un fétiche d'amour qui avait bien marché avec mon ami d'enfance qui se prénommait Placide et dont la copine, Marceline, s'était barrée sans lui dire au revoir pour aller fricoter avec un de nos amis de classe qui avait toujours 0/20 à la dictée de Mérimée, 2/20 en histoire-géo et 19,5/20 en éducation physique grâce à ses muscles de pêcheur béninois. Placide, contrairement à nous, avait eu la chance d'entendre parler d'un vrai féticheur venu d'un village lointain du Nord du pays. Ce féticheur ne te demandait pas un rond, il te disait tu vas payer après le résultat parce que moi je ne fais pas ça pour de l'argent. Sans rien nous dire Placide est allé voir ce type qui lui a donné une petite graine et lui a dit de la planter dans un vase chez lui, devant sa porte, de l'arroser tous les jours vers minuit en convoquant le nom de Marceline. Notre copain se levait à minuit, s'agenouillait devant sa plante, appelait le nom de Marceline pendant au moins une heure. Une semaine plus tard, quand la graine avait donné une petite plante, on a tous été surpris de voir Marceline recommencer à déambuler devant la parcelle des parents de Placide. Elle lui apportait maintenant de la nourriture et disait qu'elle ne pouvait plus dormir sans le voir, sans le toucher, sans le sentir, sans coller sa bouche à la sienne comme dans les films qu'on regardait au cinéma Rex. Et nous dans le quartier on ne comprenait plus rien parce que ce Placide qu'est-ce qu'il avait de plus que nous pour faire tourner la tête à une fille très belle comme Marceline ? Plus la plante poussait, plus la fille s'accrochait à Placide.

Nous sommes allés en groupe chez notre ami pour qu'il nous dise au moins dans quel quartier vivait son féticheur nordiste parce que nous aussi on voulait que les filles se jettent à nos bras, nous apportent de la nourriture dans la parcelle de nos parents et collent leur bouche à la nôtre comme au cinéma. On voulait que les filles nous disent qu'elles n'arrivaient plus à dormir sans nous. Eh bien, Placide nous a dit qu'il ne révélerait pas le nom de son féticheur, que c'était son secret à lui.

On lui a répondu en chœur :

– Tu ne veux pas nous donner le nom du féticheur nordiste ? Si c'est comme ça, tu vas voir ce qui va t'arriver !

Alors la nuit quand il dormait nous avons bien saboté sa plante-là, on a bien pissé dessus, on l'a bien écrasée et on a bien cassé le vase comme il faut.

Le lendemain ça recommençait à barder entre Placide et la Marceline. Ils se chamaillaient comme deux inconnus, ils se lançaient des insultes devant tout le monde.

Marceline est repartie avec son gars très faible en dictée de Mérimée et en histoire-géo mais fort en éducation physique. On n'a jamais dit à Placide que c'est nous qui avions saboté sa plante. D'ailleurs il ne pouvait pas nous suspecter parce qu'il était convaincu que c'est le cancre musclé qui lui en voulait et qui était allé voir le même féticheur que lui pour regagner le cœur de Marceline…

Enfin, je ne cachais pas à mon ex que plus tard, lorsqu'on avait seize ans, on pensait que pour baratiner les filles on devait leur écrire de belles lettres d'amour. Or il fallait avoir déjà lu les livres dans lesquels il y avait ce genre de lettres. Mais quels livres alors ? Les romans ? Ah non, c'était trop long, les romans. Ça ne terminait jamais, les écrivains bavardaient sur des centaines de pages. En plus les personnages de ces romans qu'on lisait nous énervaient tous parce qu'ils prenaient trop de temps, ne s'embrassaient que vers les dernières pages. Nous on voulait aller vite, ne pas gaspiller notre temps à décrire un ciel bleu, des bouleaux ou un oiseau migrateur qui ne sait pas sur quel arbre se poser alors qu'il survole toute une forêt tropicale. Il y avait heureusement *Le Parfait Secrétaire*. Ce livre, c'était notre bible à nous. On allait le lire au Centre culturel français de Pointe-Noire, vers la Côte sauvage. Et il fallait se lever de bonne heure pour être le premier à l'emprunter parce qu'on avait remarqué que les vieux aussi venaient recopier des choses dedans pour baratiner les vieilles veuves du quartier…

Mon ex se redressait maintenant du lit et voulait savoir le nom de l'auteur du *Parfait Secrétaire*. Moi je lui répondais que je ne m'en souvenais plus, qu'à cette époque on ne lisait pas les noms des auteurs, on se disait qu'ils étaient tous morts et à quoi bon retenir leur nom ? Je lui précisais que *Le Parfait Secrétaire* était un ensemble de lettres pour aider les gens à écrire par exemple leur CV, leur lettre de motivations pour un travail ou encore leur lettre de condoléances dans laquelle ils regrettent quelqu'un qui est pourtant mort à cent deux ans. À la fin du livre il y avait ce qui nous intéressait, nous : des exemples de lettres d'amour à envoyer aux filles. On les recopiait mot à mot et on les envoyait aux filles comme ça. Or dans ces lettres types du *Parfait Secrétaire*, les filles étaient toujours blanches, parfois des blondes aux yeux bleus, des brunes aux yeux verts ou des rousses avec ou sans taches de rousseur. Et nous on envoyait nos lettres sans même tropicaliser les choses. On se disait que l'amour n'avait pas de couleur, bien malin qui pourrait donner une couleur aux mots et à l'émotion. On évoquait l'hiver, on décrivait la neige, on alignait des sapins à chaque paragraphe. Mais comme ces mots plaisaient à nos filles, on avait fini par croire que rien n'était plus poétique que d'appeler une fille très noire « Ma Blonde de neige »…

J'ai confié à mon ex que mon premier amour a d'ailleurs gardé jusqu'alors son sobriquet de « Blonde de neige », qu'elle n'a jamais été la seule à revendiquer cette appellation d'origine incontrôlée.

Toutes les filles de ma jeunesse étaient en réalité des Blondes de neige…

Mon ex ne bougeait plus. Je me rapprochais d'elle et je constatais qu'elle s'était endormie depuis longtemps et que j'avais raconté cette dernière histoire dans le vide.

J'éteignais la lumière et je dormais moi aussi…

Je l'avais surnommée Couleur d'origine à cause de sa peau très noire. Au pays on croit encore que les nègres qui naissent en France sont en principe moins noirs que nous. Eh bien, non, manque de pot, jusqu'à notre rencontre je n'avais pas encore croisé une personne aussi noire que mon ex. Il y a des gens lorsque tu les vois ils sont tout noirs comme le manganèse ou le goudron, tu te dis c'est parce qu'ils ont forcément cramé au soleil des tropiques, et ils t'apprennent sans transition qu'ils sont nés en France. Quand c'est comme ça moi j'exige séance tenante qu'ils me montrent leur carte d'identité. Et si je constate à ma grande surprise qu'ils ont raison, qu'ils sont réellement nés en France, voire en plein hiver rude comme celui de l'abbé Pierre en 1954, là je m'énerve au quart de tour. Je me dis : mais dans quel monde on est si les gens ils sont sans cesse en train de battre en brèche les petites choses qui pérennisent nos préjugés, hein ? Est-ce que je suis un imbécile qui goberait des histoires pareilles ? Comment peut-on être noir comme ça et être né en France ? C'est impensable.

C'est scandaleux. C'est inadmissible. Ça va à l'encontre des lois de la nature. Ça sert à quoi d'affronter l'hiver et la neige si c'est pas pour laver la peau des Noirs et la rendre un peu blanche ?

Bon, il se trouve que mon ex – je vais l'appeler à partir de maintenant Couleur d'origine – est née toute noiraude comme ça…

*

J'ai vu Couleur d'origine pour la première fois en face du Jip's il y a trois ans et demi. J'étais loin de penser qu'on allait habiter ensemble quelques mois plus tard, que c'est elle qui serait la mère de ma fille. À l'époque elle travaillait au Vogue à l'âme, une boutique de sous-vêtements féminins où on exposait des strings fluorescents jusque dans la rue – ce qui aurait encore choqué notre Arabe du coin.

Depuis le comptoir du Jip's on apercevait ce qui se passait au Vogue à l'âme – parfois on tombait sur des filles qui essayaient des strings, on faisait des commentaires et on ricanait lorsqu'elles passaient devant le bar. La semaine dernière je suis retourné dans les parages et j'ai constaté que la boutique en question n'existait plus, que c'est un restaurateur chinois de la rue de la Grande-Truanderie qui a racheté le fonds de commerce pour y installer un pressing…

Ce premier jour où j'ai fait la connaissance de mon ex j'étais bien sapé, mes Weston aux pieds et un costume Valentino Uomo sur mesure. La fille faisait les cent pas devant le Vogue à l'âme, une cigarette entre les lèvres. La plupart de mes potes étaient là, certains debout comme moi sur la terrasse, d'autres penchés au comptoir, un œil dans leur verre, un autre en direction de la rue. Je revois leur visage comme si c'était hier. Il y avait Roger Le Franco-Ivoirien, lui qui prétend qu'il a lu tous les livres du monde. Il y avait Yves « L'Ivoirien tout court », lui qui clame haut et fort qu'il est venu en France pour faire payer aux Françaises la dette coloniale et qu'il y parviendra par tous les moyens nécessaires. Il y avait Vladimir Le Camerounais qui fume les cigares les plus longs de France et de Navarre. Il y avait Paul du grand Congo, lui qui s'asperge de parfums qui ne sont pas encore sur le marché mondial – on l'appelle aussi « Esprit sein » parce qu'il dit sans cesse qu'il n'y a pas que les fesses dans la vie, il y a aussi les seins. Je revois Pierrot Le Blanc du petit Congo, lui qui s'autoproclame « le spécialiste du Verbe » et qui estime que la Bible nous ment, qu'au commencement il n'y avait pas que le Verbe, il y avait aussi le sujet et le complément d'objet direct et c'est l'Homme qui a rajouté le complément d'objet indirect car il en avait marre d'adorer une divinité qui ne se faisait jamais voir. Je revois aussi Olivier du petit Congo, avec ses yeux tirés mais qui voient tout venir à distance, surtout les filles. Quant à l'autre compatriote, Patrick « Le Scandinave », il a épousé une Finlandaise et ils ont eu un enfant que moi je n'ai pas encore vu.

Je revois enfin ce déjanté de Bosco « Le Tchadien errant » qui traite tout le monde d'ignorant parce qu'il est persuadé qu'il a le quotient intellectuel le plus élevé d'Afrique, qu'il est le seul à maîtriser les subtilités du subjonctif imparfait. Comment un homme qui se dit civilisé peut aller pisser contre les murs du Jip's alors qu'il y a les toilettes dans ce bar et que même les passants viennent pisser sans payer un seul verre ? Il se dit poète lyrique, il nous lit des vers très poussiéreux qu'il prétend avoir écrits lorsqu'il était élève dans un lycée de N'Djamena et s'ennuyait au milieu des cancres. D'après lui c'est grâce à sa versification qu'il avait gagné une bourse à l'ambassade de France au Tchad, les Français ayant jugé à l'unanimité que sa place n'était plus en Afrique mais en France et que notre poète était incontestablement le « Paul Valéry noir » qu'on attendait depuis longtemps. On l'appelle donc aussi « Le Poète de l'Ambassade », et il parle avec cet accent parisien qui fait dire à Pierrot Le Blanc que ce Tchadien à la recherche du temps perdu n'est en fait qu'un nègre en papier qu'on n'a pas fini de coloniser, et du coup il a la peau noire et un masque blanc…

Ils étaient tous là. Ils échangeaient des commentaires sur Couleur d'origine sous l'œil complice du patron Jeannot et du barman Willy qui nous balançait une musique endiablée venue de je ne sais quel quartier pourri d'Abidjan, de Dakar, de Douala ou de Brazzaville.

Ils m'ont vu foncer vers Le Vogue à l'âme et discuter avec Couleur d'origine. J'essayais de lire sur son badge ce nom qui était de chez nous et que Willy raillait à la moindre occasion :

– Je connais la fille, on l'a embauchée y a pas longtemps. Son nom est tellement compliqué que pour le prononcer il faut avoir une arête de tilapia égarée au fond de la gorge…

À part sa peau goudronnée que mes amis houspillaient – parce que au pays on n'aime pas trop une peau pareille –, moi je reconnaissais par contre qu'elle avait un attribut imparable : son derrière bougeait dans le sens contraire des aiguilles d'une montre. Et ça c'était pas donné à n'importe quel derrière. Même aujourd'hui quand je marche dans la rue j'observe avec attention les derrières des filles dans l'espoir de voir si Dieu en avait fabriqué un autre de ce gabarit et de cette souplesse. J'en suis arrivé à la conclusion que les œuvres d'art sont uniques, inimitables, surtout si l'artiste en question c'est Dieu en personne. Même plus tard, lorsqu'on marchait ensemble, moi je me mettais derrière Couleur d'origine comme son ombre, je feignais de traîner le pas, de laisser tomber mes clés, de les ramasser en ne quittant pas des yeux ce spectacle afin de ne pas rater les secousses de sa carrosserie bien remplie de marchandises. Couleur d'origine se retournait alors, me souriait, accélérait encore plus les mouvements de sa face B tandis que mon cœur faisait des bonds de bébé kangourou surexcité par le passage d'une Jeep. Je me disais qu'elle avait de la chance d'avoir un derrière à vitesses automatiques parce que, mine de rien, la nature n'a pas pensé à tout le monde. Elle a privilégié certaines femmes, et pour d'autres, elle a été très vache…

C'est sans doute Couleur d'origine qui a accru mon obsession pour les derrières. Depuis cette première rencontre je ne pensais plus qu'à ça. Ainsi, au lieu de marcher la tête relevée comme tout le monde, moi j'avais désormais la manie de chasser du regard les chutes de reins des passantes et de me livrer par la suite à des analyses très poussées. Je suis maintenant convaincu que comme pour les cravates on peut lire la psychologie d'un être humain par la façon dont il remue son arrière-train. Faut donc pas s'étonner qu'au Jip's la plupart de mes potes m'appellent « Fessologue ». C'est Pierrot Le Blanc qui a inventé ce néologisme – mais moi je refuse qu'on parle des néologismes parce qu'il n'y a rien de nouveau sous le soleil. La science du derrière existe depuis l'origine du monde quand Adam et Ève avaient tourné le dos au Seigneur. Chaque fois que Pierrot Le Blanc a une nouvelle copine il l'emmène dare-dare au Jip's, il lui offre à boire, me souffle à l'oreille de bien mater la crête iliaque de sa conquête et ses tissus musculo-adipeux pour qu'on en parle le moment venu parce qu'il ne veut pas faire fausse route, tomber sur une capricieuse à cause d'une histoire de derrière mal fagoté. Puis, une fois que la fille s'en va, Pierrot Le Blanc court vers moi, me demande ce que j'en ai pensé. Il rajoute que ça l'excite lorsque c'est moi qui en parle. Je lui rappelle donc les différents types de faces B. Je lui dis qu'il y a des derrières quand tu les vois remuer, tu es carrément déçu, tu te demandes : mais est-ce que c'est vraiment un derrière que je vois là ? Tu le plains parce que tu ne sais pas dans quelle direction il tourne, parce qu'il n'a pas de gueule, parce qu'il va à gauche, parce qu'il ne va jamais à droite comme s'il y avait un danger de ce côté-là, qu'il revient brusquement au point de départ, qu'il s'aplatit, qu'il s'immobilise sans élégance. Il en va ainsi quand la fille est angoissée, ne prend jamais de décision sans s'en référer à ses copines qui l'induisent toujours en erreur. J'ajoute qu'il y a un autre type de derrières, leur problème à eux c'est qu'ils remuent trop vite de haut en bas comme des margouillats très fâchés, et la pauvre femme doit remonter son pantalon ou sa jupe à chaque intersection. Si tu discutes avec une fille qui coltine de tels tissus musculo-adipeux tu verras qu'elle est agressive pour un rien, qu'elle te fixe de faux rendez-vous à la fontaine Saint-Michel ou à l'église Saint-Bernard, ne se pointe pas et te quitte en t'envoyant une lettre recommandée avec accusé de réception. Je précise aussi à Pierrot Le Blanc qu'il y a d'autres derrières, c'est pire, ils sont coincés, ils ne remuent que par à-coups, ils tremblotent, ils sont épileptiques, puis ils calent. Ceux-là ce sont des derrières à vitesses manuelles et, en général, ils sont tout plats comme une autoroute qu'on vient de construire. On trouve de tels derrières chez certaines intellectuelles qui te tournent en bourrique pour te dire à la fin qu'elles doivent prendre le temps de la réflexion, de faire leur bilan intérieur et de finir la lecture des théories transcendantales qu'on trouve dans la *Critique de la raison pure* de Kant…

Moi j'étais heureux, j'avais trouvé chez Couleur d'origine le derrière de mes rêves, le roi n'était plus mon cousin et j'étais fier comme Artaban…

*

S'il n'y avait rien à dire sur la face B de Couleur d'origine, il reste qu'elle avait ce visage de pierre qui dissuadait quiconque l'abordait pour la première fois. Je n'avais rien à perdre, ce visage de pierre n'était quand même pas le mont Éverest, cet air de dédain n'était qu'une protection naturelle, un peu à la manière des porcs-épics qui agitent leurs piquants afin d'effrayer les prédateurs. J'ai pris mon courage à deux mains, je suis allé vers elle, je l'ai vue sourire – sans doute mon accoutrement puisqu'elle m'a regardé des pieds à la tête – et c'est comme ça que nous avons discuté devant Le Vogue à l'âme.

J'ai vite senti que l'Afrique, fallait pas trop la questionner là-dessus, elle ne connaissait pas. Le Congo, non plus. Elle rêvait d'y aller un jour, moi je ne voulais plus y retourner quand je repensais aux péripéties de mon arrivée en France quinze ans plus tôt et à mon existence de manutentionnaire au port maritime de Pointe-Noire. Je ne le lui avais pas fait ressentir, j'étais choqué de savoir qu'elle était née ici avec cette couleur très foncée. J'étais à un doigt de lui demander sa carte d'identité, mais je ne voulais pas la froisser. Elle a vu que je ne quittais pas des yeux son derrière. En tant que fessologue je cherchais à lire son comportement, et pour une fois je n'y arrivais pas parce qu'un médecin ne se fait pas une opération chirurgicale lui-même. Un voyant ne lit pas son propre avenir. Mieux encore, pour reprendre une formule convenue, les cordonniers sont toujours les plus mal chaussés. Alors je me contentais de considérer de cette peau noire et huilée, luisante, puis je me disais : mon Dieu comment elle s'est arrangée pour en arriver jusqu'à ce point alors que les hivers c'est pas ce qui manque dans ce pays…

Ce jour-là je voulais déjà marquer le territoire, installer le dialogue. Je n'allais pas lui poser les questions que nous apprenait Grand Poupy lorsqu'on était tout jeunes et qu'on voulait baratiner les filles. En gros, je ne m'étais pas trop mal débrouillé. Les potes du Jip's m'ont applaudi quand je suis revenu avec le numéro de téléphone de Couleur d'origine. Au fond ils se payaient ma tête, surtout Yves L'Ivoirien tout court qui m'a rappelé que ce n'est pas avec une fille comme ça que je ferai payer à la France la dette coloniale…

*

On discutait de plus en plus, presque tous les deux jours – je laissais passer au moins un jour, sinon deux, je ne voulais pas qu'elle croie que je lui mettais la pression. J'ai par la suite découvert une fille gentille, douce et attentive. Je l'invitais dans d'autres cafés et bars des Halles puisque mes potes m'agaçaient maintenant à force de m'applaudir comme si j'avais gagné un record du monde dans je ne sais quelle discipline.

On a tout fréquenté dans les environs du Ier arrondissement : Le Père Tranquille, Le Baiser salé, La Chapelle des Lombards, Oz Café et que sais-je encore. Parfois elle me faisait bien rire. Déjà à cette époque, comme plus tard lorsque l'Arabe du coin nous contait ses blagues sur les Israéliens à qui on apprenait que le temps était maussade ou aux Arabes qui, pour téléphoner chez eux, utilisaient toujours les Kabyles téléphoniques, je riais plutôt de son rire à elle parce que quand elle riait c'était comme une vieille bagnole qui n'arrivait plus à démarrer sur une côte de première catégorie, et elle ne se retenait plus jusqu'à faire couler des larmes. Il arrivait aussi qu'elle vienne prendre un verre avec moi au comptoir du Jip's. Les potes guettaient de loin son derrière et estimaient qu'en tant que fessologue je me gourais cette fois-ci, que je ne savais pas où je mettais les pieds.

– Pourquoi qu'ils rient comme ça ? me demandait-elle en désignant de la tête Roger Le Franco-Ivoirien, Willy le barman et Yves L'Ivoirien tout court.

– C'est des gamins, je répondais.

Malgré ces quolibets, j'entrais dans la surface de réparation de la fille, je fonçais les yeux fermés en me disant que c'était moi qui avais raison, les autres n'étaient que des aveugles sans canne. Est-ce que c'est vraiment Bosco Le Poète tchadien ou Pierrot Le Blanc du petit Congo qui me donneraient des leçons en la matière ? J'aimais pas les manières d'Yves L'Ivoirien tout court quand il me tançait ouvertement :

– Fessologue, réveille-toi ! On est en France ici et il faut marquer de vrais buts parce qu'un but marqué à l'étranger ça compte toujours deux points, mon gars. Or toi, tu as choisi le chemin de la facilité en allant vers une compatriote. Est-ce que c'est comme ça que tu vas obliger les gens de ce pays à nous indemniser pour tout ce qu'ils nous ont fait subir pendant la colonisation, hein ? Ils nous ont pris nos matières premières, nous aussi on doit leur piquer leurs richesses à eux, je veux dire leurs femmes ! Laisse donc tomber cette cramée au cul encombrant et attrape-toi une belle blonde aux yeux bleus ou verts, y en a en pagaille dans les rues de Paris et dans les provinces de France. En plus tu ne seras jamais emmerdé avec les Blanches alors que nos sœurs-là c'est des capricieuses de première classe. C'est son derrière qui te fait perdre la tête comme ça, hein ? Va donc chez moi en Côte-d'Ivoire et tu verras ce qu'est un derrière de femme noire, comment ça roule, comment ça tremble, comment ça tourne comme les hélices d'un hélicoptère. Cette fille que je vois fumer devant Le Vogue à l'âme c'est un petit mirage, tu seras déçu le jour où elle enlèvera son pantalon parce que son derrière tombera jusqu'à ses mollets…

Je ne supportais pas aussi les remarques de Vladimir Le Camerounais aux cigares les plus longs de France et de Navarre. Il avait laissé entendre que pour satisfaire Couleur d'origine il faudrait que ma chose-là soit aussi longue que deux de ses cigares collés l'un à l'autre.

– Fessologue, est-ce que tu as vu comment mon cigare est long, hein ? Ça ne te dit rien ?

Je ne bronchais pas.

– Maintenant je vais sortir un autre cigare de ma poche et je vais les coller en longueur comme ça. Regarde !…

Et Vladimir de conclure :

– Tu vois, il te faudra un engin de cette taille-là sinon la nana te rira au nez. Et encore, estime-toi heureux parce que pour l'instant je n'ai pas encore le cigare le plus long du monde fabriqué par le Cubain José Castelar et qui fait quand même 11,04 mètres ! Or toi tu n'es qu'un Sapeur, un frimeur, un amateur de Weston et de costumes du faubourg Saint-Honoré. En plus nous au Cameroun on dit toujours que les Congolais c'est pas trop leur truc, la longueur. Tu as intérêt à faire des exercices !

J'acceptais plutôt les conseils de Paul du grand Congo qui me rappelait qu'il fallait que je tire mon coup et que je me barre à la première occasion…

Couleur d'origine allait m'apprendre plus tard que ses parents vivaient à Nancy où ils avaient un cabinet d'avocats, qu'on ne parlait que le français à la maison et qu'elle ne comprenait aucune des centaines de langues de notre pays. Interdit de séjour au Congo, le père était un opposant au régime en place chez nous et il espérait qu'un jour ce serait son tour à lui de devenir le président de notre République, comme ça il arrachera notre pétrole aux mains des Français pour le donner aux Américains. Il écrasera alors tous les nordistes, il les jettera lui-même dans le fleuve Congo car il estime que sa tribu vit un véritable génocide depuis des décennies devant l'indifférence de la communauté internationale. D'après l'avocat de Nancy le salut du Congo passe par la sécession du pays ou l'extermination pure et simple des gens du Nord, ceux-là qui ont confisqué les rênes du pouvoir depuis l'Indépendance et qui piquent le pétrole du Sud pour le solder aux Français. Aux dires de Couleur d'origine son père gardait une grosse barbe grise comme la plupart des rebelles d'Afrique qui copiaient le look du maquisard angolais de l'époque, Jonas Savimbi, un type charismatique qui, jusqu'à sa mort, aura empêché son rival, le président Eduardo Dos Santos, de dormir d'un sommeil profond.

Couleur d'origine gardait une dent contre son père. Une haine qui s'enflammait aussitôt que je voulais en savoir un peu plus sur le personnage. Elle parlait de lui avec dépit. Elle disait : « cet esclavagiste », « ce type-là », « ce tribaliste », « ce monsieur-là » ou encore « cet homme qui se dit mon père ». D'après elle l'avocat n'était qu'un extrémiste du Sud, un type qui cultivait l'intolérance même dans son foyer, un agité politique dont la femme buvait les paroles sans élever la voix. Il recevait chez lui les caciques de notre ancien régime qui avait volé en éclats à la suite de deux guerres civiles. Avec ces frustrés, l'avocat réfléchissait à un nouveau parti politique afin de reprendre le pouvoir, au besoin par les armes. Il attendait pour cela le feu vert de l'Amérique, parce que, soutenait-il, de nos jours il ne peut y avoir de changement politique dans aucun pays francophone d'Afrique sans l'aide des Yankees puisque les Français ont tout verrouillé dans leurs anciennes colonies…

*

J'avais dû insister pour que Couleur d'origine m'explique comment elle s'était retrouvée seule à Paris au lieu de vivre à Nancy. Elle s'était brouillée avec son père – et, par ricochet, avec sa mère – à cause d'une affaire de mariage que ses parents avaient arrangé avec Doyen Mathusalem, notre ancien ministre des Finances au pays, celui-là qui avait vidé les caisses du Trésor public lorsqu'il s'était rendu compte que le régime dans lequel il avait rang de ministre d'État ne survivrait pas à la deuxième guerre civile parce que le nouvel homme fort du pays avait l'appui de la France et plus de chars, de missiles, d'hélicoptères et de roquettes que l'armée régulière. Alors Doyen Mathusalem a traversé le fleuve Congo en catastrophe avec l'ex-président avant de prendre un avion pour la Belgique, puis la France où on lui a accordé le statut d'exilé politique. Le ministre criait sur tous les toits de Paris qu'il était capable de nourrir tous les opposants congolais de France, y compris ceux de Corse et de Monaco pendant cent cinquante ans. Les Congolais de France venaient le voir dans son hôtel particulier du VIIIe arrondissement et repartaient avec de grosses enveloppes bourrées de billets. On estimait sa fortune au montant exact de la dette de notre pays. Il suffisait donc qu'il rende au peuple ce qu'il avait piqué pour que notre nation arrête d'aller larmoyer lors des sommets des pays riches pour l'annulation de la dette. Or Doyen Mathusalem menait la grande vie en France. Il organisait des soirées privées dans des grands palaces où, au milieu de la nuit, il se tapait les petites Congolaises sorties à peine de la puberté. Très proche du père de Couleur d'origine qui l'avait défendu jadis dans un procès de détournement de deniers publics ayant fait grand bruit en France, Doyen Mathusalem avait jeté son dévolu sur la fille de son ancien avocat et ami. Il voulait l'épouser malgré les trente-huit ans qui les séparaient. Cela aurait arrangé les affaires de l'avocat de Nancy qui espérait bénéficier du soutien financier de Doyen Mathusalem pour conforter son parti politique en attendant le feu vert des Yankees.

C'était une page que Couleur d'origine voulait tourner. Alors je ne lui posais plus aucune question là-dessus. Elle me parlait plutôt d'une de ses amies d'enfance, Rachel Kouamé, qui, bien avant elle, avait aussi quitté Nancy pour Paris. Elles étaient inséparables depuis l'école primaire jusqu'au lycée. La veille du jour où selon la volonté de son père Couleur d'origine devait se marier avec Doyen Mathusalem, elle a plié ses bagages pour Paris et est venue frapper à la porte de son amie d'enfance…

*

Avec le temps je me dis que c'est sans doute Rachel Kouamé qui l'avait gâtée comme ça. Un peu plus âgée qu'elle, l'Ivoirienne louait un studio à la rue Dejean, en plein cœur du marché de Château-Rouge où elle vendait du poisson salé après avoir abandonné ses études chaotiques de comptabilité. Les deux filles travaillaient maintenant ensemble. Elles achetaient des poissons salés chez un grossiste chinois de la rue de Panama et les revendaient au détail, par terre, sur les bords du marché Dejean entre deux descentes de policiers. Or ce commerce ne rapportait pas, il exigeait de la patience. En plus il fallait avoir un étal très mobile, souvent en carton pour vite le replier et prendre la poudre d'escampette à l'approche du véhicule de police.

Couleur d'origine observait la communauté de Château-Rouge et sa manière de vivre. Au bout de quelques mois, elle a tiré la conclusion que nous autres on dépensait des sommes faramineuses pour nous blanchir la peau. On préférait mourir de faim plutôt que de coltiner une peau foncée.

Un soir, alors que leur commerce battait de l'aile depuis un moment, elle a suggéré à Rachel l'idée de vendre des produits à dénégrifier :

– On doit vendre ces choses-là, je sais où on ira acheter les Ambi rouges et les Diprosone à un tarif très réduit. C'est un commerce qui ressemble à celui d'un croque-mort : le croque-mort ne chômera jamais parce que les gens ils sont condamnés à mourir. Eh bien, nous les Noirs, c'est pareil : nous ne renoncerons pas à nous blanchir la peau tant que nous serons persuadés que notre malédiction n'est qu'une histoire de couleur…

*

À la différence de Couleur d'origine, Rachel n'était pas faite pour le commerce. Elle brutalisait la clientèle, courait après la dernière mode parisienne qu'elle allait exhiber dans les boîtes de nuit d'Abidjan pendant les vacances de fin d'année. Dépensière maladive, elle dilapidait les économies communes. Sans prévenir son amie, elle allait faire ses courses aux Champs-Élysées ou au faubourg Saint-Honoré, revenait avec de gros sacs de vêtements et de chaussures de luxe. Comme elle ne pouvait pas tout porter, elle revendait les habits et les chaussures démodés à ses copines abidjanaises. Le goût du luxe, elle savait ce que ça voulait dire. Elle achetait des bijoux Cartier sur la place Vendôme, voulait avoir le même parfum que Catherine Deneuve, Juliette Binoche ou Vanessa Paradis. Elle avait de plus en plus de mal à justifier ses dépenses lorsque Couleur d'origine exigeait qu'elles fassent les comptes pour voir où elles en étaient et développer leur petit commerce afin de toucher aussi d'autres Noirs que ceux de Château-Rouge ou de Château-d'Eau. Les disputes devenaient fréquentes, et il était arrivé que les deux amies et associées ne se parlent plus pendant une semaine. Chacune préparait alors sa nourriture dans un coin de la pièce sans se préoccuper de l'autre. Couleur d'origine ravalait son orgueil, engageait la conversation, mais Rachel lui répondait à peine. À la fin, c'est Couleur d'origine qui avait l'impression d'être la responsable de la mauvaise gestion de son associée. Les fournisseurs leur faisaient de moins en moins confiance et refusaient désormais de les livrer à crédit. Il leur fallait payer comptant, en espèces. Or les caisses étaient vides…

Les relations déjà tendues entre les deux filles se sont dégradées lorsque Rachel a imposé un homme à la maison. C'était un Ivoirien comme elle, une espèce de rustre à la musculature de pêcheur de haute mer. Il était en réalité un fin gigolo qui, en plus, lorsqu'il avait bu, laissait éclater une violence meurtrière, cassait la vaisselle, menaçait de foutre le feu dans l'immeuble entier. Le jeune homme s'est installé chez Rachel et se considérait le maître des lieux. Quand il rentrait de ses vadrouilles, il devait trouver la nourriture prête et Rachel à la maison pour le servir et lui masser les pieds. Puis il s'affalait dans le canapé-lit devant la télévision, les jambes écartées. Il regardait le foot sur Canal +, si ce n'était le film pornographique que diffusait la chaîne le premier samedi de chaque mois. Couleur d'origine, n'en pouvant plus, le lui a fait savoir un soir en présence de Rachel.

L'Ivoirien a eu une réaction vive :

– Depuis quand une femme a le droit de parler, on dirait un homme comme ça, hein ? Est-ce qu'une femme est même un homme ? Tu te prends pour quoi toi-là même ? Ma cheville-là, est-ce que tu la dépasses même ? C'est ton petit français que tu parles mal là qui va me bousculer, moi ? Est-ce que tu t'es vue avec ton gros derrière qui bouge dans la pagaille comme un serpent noir de Camara Laye qu'on a coupé en deux ? Si t'es pas d'accord, sors de notre maison ! Je crache sur ta race ! T'es pas ici chez toi, espèce de Congolaise de Bacongo !…

Parce que Rachel n'avait pas remis à sa place cet énergumène envahissant, Couleur d'origine en a conclu qu'elle était devenue de trop dans ce deux-pièces.

Après une vive dispute avec son amie qui défendait bec et ongles son homme, Couleur d'origine a plié ses cliques et ses claques dans la semaine, elle a pris une chambre dans un hôtel meublé de la rue de

Suez dont la plupart des chambres étaient occupées par des commerçantes nigérianes du marché Dejean. Comme elle les côtoyait, elle a été introduite dans la filière de ces femmes qui importaient des produits à dénégrifier depuis leur pays d'origine. Elles ont vite adopté la Congolaise parce qu'elle les aidait lorsqu'il fallait rédiger des lettres ou des documents en français pour les besoins de la vie quotidienne. Couleur d'origine était devenue un peu leur écrivain public…

*

La cohabitation avec les Nigérianes n'était pas de tout repos. Les chamailleries sur des futilités n'ont pas tardé à brouiller les relations entre les filles. Des histoires de petits copains ou de sorcellerie. Dès qu'une des Nigérianes emmenait un homme dans l'immeuble, les autres se mettaient en compétition pour coucher avec lui.

Et puis, il y avait ces bagarres nocturnes. La police arrivait, les sirènes crevant les tympans de la foule amassée devant l'immeuble. Les Nigérianes s'affrontaient avec des pilons, des fourchettes, et parfois avec des bidons remplis de soude caustique. Certaines finissaient avec des visages zébrés de cicatrices profondes. Au milieu de ces filles remontées, Couleur d'origine avait-elle encore sa place ? La Franco-Congolaise devait reconquérir son indépendance. C'est à cette période qu'elle avait croisé dans les escaliers de leur hôtel un monsieur qui se disait propriétaire d'une boutique de sous-vêtements féminins aux Halles. L'homme était un client assidu des Nigérianes. Je n'ai jamais su quel type de relations il avait eu avec Couleur d'origine. Elle était très évasive sur la question. Toujours est-il que le monsieur l'a embauchée du jour au lendemain au Vogue à l'âme.

Elle s'est mise à chercher un toit et a déniché un studio dans le XVIIIe, coupant définitivement les ponts avec ses amies nigérianes qui l'accusaient de leur avoir piqué leur homme qui « payait bien », sans discuter…

Dès que Couleur d'origine apparaissait devant le Vogue à l'âme, j'interrompais ma conversation avec mes potes, j'abandonnais mon verre de Pelforth et me ruais vers elle. Je m'arrangeais pour porter mes costumes les plus chics, rien que pour la séduire, et elle ça lui plaisait parce qu'elle connaissait bien le milieu de la Sape et de Château-Rouge. Elle disait que j'étais un vrai Congolais des pieds à la tête. Et quand elle le disait, elle désignait ma cravate et mes Weston. Et puis, pourquoi le cacher, elle aimait m'écouter lui parler de mes projets. Et elle se demandait alors ce que je foutais dans ce bar au lieu de poursuivre mes études puisque j'étais arrivé jusqu'en terminale. Et moi je répondais que je ne voulais pas perdre mon temps avec les gamins dans un amphithéâtre. Moi je suis un ambianceur, je vis ma vie, je l'assume…

*

Lorsque je passais trois jours sans me rendre au Jip's, elle entrait dans le bar, demandait de mes nouvelles à Paul du grand Congo qui, à ses yeux, était le moins railleur de notre bande. Au fond, moi j'attendais qu'elle me téléphone, ce qu'elle faisait d'ailleurs tard dans la nuit. Et nous parlions pendant longtemps. Il paraît que je la faisais beaucoup rire, que mon accent la faisait fondre. Bref, c'était l'accent très grave du pays, celui de son père – mais jamais elle n'avait fait ce parallèle alors que j'allais plus tard entendre cet accent au téléphone. Je roulais encore plus les *r* pour lui faire plaisir. Je pouvais facilement passer de l'accent grave à l'accent aigu parce que c'est pas trop sorcier pour un nègre de jouer au nègre. Il suffit de se laisser aller, de laisser le naturel revenir au galop.

De tous les restaurants français où on a été elle préférait le Pied de cochon parce qu'elle appréciait la viande de porc. Moi je regrettais que ce restaurant ne vende pas de manioc parce qu'un porc sans manioc c'est quand même un sacrilège dans mon ethnie. On mangeait au moins trois fois par semaine dans cet établissement. Les serveurs nous connaissaient et nous plaçaient souvent au premier étage près de la fenêtre.

À la fin du repas notre itinéraire était tout tracé : on allait papoter le long de la Seine, et je lui disais de bien ouvrir les yeux pour admirer cet endroit où un poète est devenu très célèbre parce qu'il avait rappelé à ces aveugles de Parisiens que sous le pont Mirabeau coulait la Seine. Sinon eux ils ne l'auraient pas su, avec leur vie de métro boulot dodo.

Sur le chemin du retour on buvait un dernier verre au Sarah-Bernhardt. On marchait un peu encore, puis on prenait le métro à Étienne-Marcel. Moi je descendais à Château-d'Eau tandis qu'elle allait jusqu'à Marcadet-Poissonniers d'où elle prenait la correspondance pour atteindre Marx-Dormoy.

*

Un jour, alors qu'elle voulait coûte que coûte savoir où j'habitais puisque je demeurais silencieux sur la question et qu'il n'y avait que moi qui allais chez elle, je lui ai avoué que si je ne l'invitais pas chez moi c'était parce que je partageais un tout petit studio avec des compatriotes à Château-d'Eau depuis mon arrivée en France. On vivait à cinq dedans comme des rats, mais pas de la même famille. Chacun trouvait un coin pour ranger ses affaires. On préparait la nourriture à tour de rôle, ou alors on allait dans les restaurants congolais des banlieues pour manger des trucs du pays et siffler des Pelforth jusqu'à oublier le chemin du retour. Je lui ai raconté qu'une fois on avait fait Sarcelles-Paris à pied en plein hiver parce qu'on avait raté le dernier RER et que les taxis qu'on appelait nous envoyaient paître au motif que là où on se trouvait il y avait souvent des voyous qui assommaient les chauffeurs au gourdin ou leur envoyaient des bombes lacrymogènes dans la gueule pour leur piquer leur recette. Quand on est arrivés à Château-d'Eau on ressemblait aux cadavres de la guerre de 14-18, on ne sentait plus nos pieds et on a dormi pendant une journée et demie.

– Je vis depuis quinze ans dans ce studio qui est au rez-de-chaussée. C'est moi qui l'ai trouvé et les autres sont venus me rejoindre parce que ça commençait à me coûter cher de vivre seul dedans, je lui ai précisé.

Elle m'a dit que vivre quinze ans dans une petite pièce comme ça c'était insupportable. Elle a voulu savoir s'il y avait des femmes parmi les colocataires. Je voyais où elle voulait en venir. Encore une histoire de jalousie. J'ai ri aux éclats parce que je me suis aussitôt souvenu des mésaventures qui nous étaient arrivées à ce sujet. On avait dû héberger une fille débarquée du pays parce qu'elle était dans la merde, les gens qui l'avaient fait venir n'étaient que des baratineurs de première classe qui se sont défilés quand elle a atterri à Roissy. Elle s'appelait Louzolo et elle n'était pas mal, mais elle avait une fesse plus petite que l'autre, ce qui lui donnait l'air de marcher d'un seul côté. On la connaissait depuis le pays et on a trouvé que c'était inhumain de laisser crever une compatriote en plein hiver même si elle avait une fesse plus petite que l'autre. Je me demande ce qu'elle serait devenue si on ne l'avait pas accueillie chez nous. Elle avait eu la sagesse d'avoir avec elle quelques numéros de téléphone de certains compatriotes de Paris, et moi j'étais dans cette liste. Les autres listés s'étaient débinés ou ne décrochaient pas leur téléphone. J'étais donc sa dernière chance.

Elle m'a téléphoné à six heures du matin, je suis allé la prendre à l'aéroport. On n'a pas vu la tête de ses baratineurs pendant dix jours, encore moins celles des autres gars dont elle avait les numéros de téléphone dans un carnet froissé, tellement elle avait retourné les pages. Ces gars qui devaient l'héberger lui avaient raconté qu'ils avaient un grand appartement qui donnait sur le Champ-de-Mars et que lorsqu'ils se brossaient ou se rasaient ils regardaient la tour Eiffel. Comme Louzolo était déçue de voir que je vivais dans un petit studio alors que j'avais quitté le pays il y a plus d'une décennie, je me suis d'abord excusé d'habiter dans un quartier qui n'avait pas de Champ-de-Mars, puis je lui ai dit ma devise : mon verre est petit et je bois dans mon verre. Elle est donc restée avec nous, mais elle regrettait la tour Eiffel…

La présence de Louzolo dans le studio avait modifié nos habitudes. On ne dormait plus bien parce qu'on ne pensait qu'à la chose-là quand elle prenait sa douche ou s'endormait la poitrine à moitié nue et les jambes un peu écartées. Y en a parmi nous qui allaient jusqu'à humer ses slips, surtout Lokassa *alias* « L'Attaquant de pointe » qui se vantait d'avoir une chose-là plus grosse que nous tous réunis. À la fin il nous fatiguait parce que je ne voyais pas comment il pouvait conclure son coup s'il passait son temps à livrer les secrets de la bataille, à dire que lui il tirait plus vite que Lucky Luke et son ombre. Chaque fois qu'il en rajoutait sur ses performances et la longueur exceptionnelle de sa chose-là, je me souvenais alors de cet homme intelligent qui a dit que le tigre ne se pavane pas en criant sa tigritude, il bondit sur sa proie et la dévore. L'Attaquant de pointe ne le savait pas parce que côté quotient intellectuel c'était pas trop sa préoccupation. On voyait venir de loin ses petits traquenards. Il rentrait plus tôt que nous pour être seul en face de Louzolo et attendre qu'elle craque.

Il nous prévenait :

– J'y arriverai, je le sens parce que chaque fois que je regarde cette fille ma chose-là se lève d'elle-même sans que mon cerveau donne le coup de sifflet ! Je me connais, c'est un signe qui ne me trompe jamais. Quand je vois une fille et que je bande, c'est qu'elle va finir dans mes bras ! Et puis, entre nous, les gars, ça fait dix jours déjà qu'elle est ici, y aura bien un moment où elle voudra tirer son coup ! Elle ne va pas laisser congeler son pays-bas en plein hiver ! Le chauffage c'est bien, mais la chaleur naturelle c'est mieux !

L'Attaquant de pointe a attendu ce moment où la fille tomberait dans ses bras, mais ce moment n'est jamais venu. Il devenait agressif, menaçait de ne plus contribuer aux charges de l'électricité et de l'eau. Il nous faisait la gueule le soir et croyait que c'était moi qui déjouais ses plans, que je faisais des coups fourrés hors de notre studio dans les hôtels de passe de la rue des Petites-Écuries.

Puis c'est un type du dehors, un Centrafricain aux yeux rouges, qui a finalement gagné la partie. Il a croisé Louzolo au marché Dejean et elle nous a dit au revoir un soir au grand désespoir de L'Attaquant de pointe qui avait réussi au moins à voler un des slips de la fille…

J'ai aussi dit à Couleur d'origine les noms de mes colocataires de l'époque. Lokassa *alias* L'Attaquant de pointe travaillait dans le bâtiment. Il n'avait pas de papiers et utilisait la carte d'identité de Sylvio, un Antillais que je croisais parfois au Jip's. Le problème c'est que L'Attaquant de pointe ne recevait pas directement son salaire. Il était versé dans le compte bancaire de Sylvio, et les deux hommes se retrouvaient chaque fin du mois au métro Château-d'Eau. Sylvio retirait de l'argent dans sa banque, le remettait à L'Attaquant de pointe après avoir pris ses 10 % de commission pour sa pièce d'identité.

Serge était chef de rayon dans un magasin Leclerc en banlieue parisienne. C'est grâce à lui qu'on mangeait de la bonne viande et qu'on n'achetait pas d'ampoules ou de papier hygiénique à la maison. Il s'arrangeait avec les agents de sécurité de son magasin pour sortir n'importe quelle marchandise.

Euloge était agent de sécurité au centre commercial de Bercy II. À ses heures perdues il jouait de la guitare dans un orchestre avec des gens du grand Congo. On n'aimait pas quand il fumait ses joints dans les toilettes. L'odeur restait pendant des semaines.

Moungali était manutentionnaire dans un magasin de chaussures. On refusait les chaussures qu'il nous offrait parce que ce n'étaient pas des Weston. Il s'énervait parfois. Pour le calmer, on prenait ses cadeaux et on les envoyait au pays.

Tout ce monde estimait que j'avais un boulot de fainéant parce que je travaillais dans une imprimerie à Issy-les-Moulineaux. Ce qu'ils ignoraient c'est que je ne faisais que soulever des cartons de revues et de livres pour les charger dans les véhicules…

Couleur d'origine souhaitait malgré ça venir voir dans quelles conditions on créchait. Mon sang n'a fait qu'un tour. Pour moi ce n'était qu'un dortoir, il n'était pas question qu'elle vienne me voir là-bas. Elle tomberait dans les pommes parce qu'elle verrait que si j'étais toujours propre sur moi, bien habillé avec les vêtements les plus chers de France, je dormais dans une vraie porcherie. Il n'y avait pas de chaises, pas de table, il n'y avait que des matelas par terre et qu'on superposait les uns sur les autres au matin afin d'avoir de la place pour circuler un peu.

Pendant des semaines entières j'ai tout fait pour qu'elle ne mette pas les pieds là-bas. Donc c'est moi qui allais chez elle, dans ce studio que j'occupe maintenant tout seul depuis qu'elle s'est barrée avec notre fille à cause de L'Hybride qui joue du tam-tam dans un groupe que personne ne connaît en France, y compris à Monaco et en Corse…

*

Lorsque j'arrivais à l'entrée de l'immeuble où vivait Couleur d'origine j'étais intrigué d'entendre une respiration derrière la porte d'à côté.

– Y a quelqu'un qui nous guette depuis l'autre porte ! je m'inquiétais.

– Bof, laisse tomber, c'est encore le voisin. Tu l'as déjà croisé l'autre fois. Je crois qu'il a un problème, il est toujours comme ça. Il n'aime pas les Noirs.

– Mais il est noir comme nous !

– Y en a beaucoup, des Noirs comme lui qui ne savent pas qu'ils sont noirs. C'est leur droit…

Puisque j'avais la même inquiétude au moindre bruit, elle en a eu marre :

– Je t'ai dit que c'est le voisin, zappe-le… Écoute, viens donc habiter avec moi, on va bien l'emmerder, ce connard. Y aura désormais deux nègres du Congo dans l'immeuble, sans compter ceux qui sont dans le quartier !

Je croyais qu'elle plaisantait. Le lendemain je ne suis pas allé au boulot, j'ai ramené mes malles d'habits et de Weston dans son studio. Celui qu'on allait surnommer plus tard monsieur Hippocrate avait suivi de près mon emménagement en douce, et il respirait de plus en plus fort derrière sa porte parce qu'il sentait que la négraille prenait d'assaut l'immeuble.

À partir de cet instant, dès que j'avais le nez dehors, je tombais sur lui. Je lui disais bonjour, il me toisait, ne répondait pas. Quand il ouvrait sa bouche c'était pour me dire de faire moins de bruit la nuit car il nous entendait lorsqu'on gesticulait dans le lit.

– De toute façon, qu'est-ce que vous faites ici, hein ? C'est qu'un studio, c'est pas fait pour deux personnes !

En entrant dans l'immeuble, mon cœur battait fort, je devais marcher sur la pointe des pieds. C'était peine perdue parce que monsieur Hippocrate semblait m'attendre. Il toussotait pour me signifier qu'il voyait tout. Et puis je me suis dit qu'il fallait s'en foutre, ne pas lui donner plus de pouvoir qu'il n'en avait. Et alors je marchais droit, je faisais résonner les semelles de mes Weston. Je sifflotais un air de chez nous et j'ouvrais la porte bruyamment.

Lui il s'égosillait :

– Rentre chez toi dans la brousse, Congolais !

Sept mois après notre rencontre Couleur d'origine m'a invité à L'Équateur, un restaurant camerounais du XIe où une de ses copines était serveuse. C'était la première fois qu'elle m'invitait. Son amie nous a reçus et nous a indiqué une table en face du bar. De là elle nous avait à l'œil. J'ai choisi le premier plat venu, du ndolé avec de la viande de bœuf. J'avais pas mangé ça avant, mais ça ressemblait au saka-saka, le plat de feuilles de manioc de chez nous. Couleur d'origine n'a pris qu'une salade avec des ailes de poulet. Le restaurant affichait des photos des personnalités qui avaient dîné dans les lieux. J'ai reconnu le sourire de Manu Dibango et les tresses de Yannick Noah.

On mangeait dans un silence qui commençait à me peser et je cherchais à lire ce que Couleur d'origine avait dans la tête, elle qui ne fréquentait pas trop les restaurants africains. Quelque chose n'allait pas, je le sentais. Comme elle me fuyait du regard, j'ai tout de suite deviné :

– Tu es enceinte…

J'ai regardé vers sa copine au comptoir. Elle m'a souri.

– Elle était au courant ?

Couleur d'origine n'a pas répondu.

– Si je comprends bien, il faut qu'on déménage alors ? ai-je risqué.

– Pas question, les loyers coûtent cher à Paris ! On se serrera un peu tous les trois.

– On peut aller en banlieue, par exemple.

– NE ME PARLE PAS DE LA BANLIEUE !!! C'est de la merde là-bas !

Je n'ai pas jusqu'à présent compris pourquoi le mot banlieue l'horripilait à ce point. À la table voisine les gens s'étaient retournés lorsqu'elle avait hurlé. J'ai mis ça sous le compte de la grossesse qui l'angoissait. Y a même un type qui avait lancé :

– Moi je suis banlieusard, est-ce que je peux manger en silence dans ce restaurant ?

Je n'étais pas bien payé à l'imprimerie, il fallait que je trouve d'autres ressources. Le week-end j'allais acheter des habits en Italie, je les revendais à la sauvette aux compatriotes de Château-Rouge. Je ramenais des costumes et des cravates. Puisque mon goût pour la Sape était connu de tous, j'avais des clients en pagaille. Ils me suivaient jusqu'au pied de notre immeuble ou m'attendaient devant la boutique de notre Arabe du coin. Mes anciens colocataires de Château-Rouge avaient le privilège de prendre de la bière avec moi dans notre studio. Monsieur Hippocrate s'enflammait, faisait la police devant l'entrée de l'immeuble. Il demandait à mes clients leur pièce d'identité.

Et moi je réagissais violemment :

– Vous n'êtes pas de la police !

– Et vous, vous emmenez tous les clandestins de France et des pays voisins dans cet immeuble ! Vous allez m'entendre !

*

Je rappelle que c'est moi qui ai acheté la layette parce que je tenais à ce que Couleur d'origine sache que je suis responsable, que chez nous ça se passe comme ça, c'est l'homme qui paie tout, point final. Si je n'avais pas payé cette layette j'aurais aujourd'hui un profil bas. Je ne serais même pas capable de me regarder dans un miroir. En plus j'ai constaté que les vêtements des nourrissons n'étaient pas à la portée de toutes les bourses. De petites pompes te coûtaient les yeux de la tête, la poussette valait le prix d'un loyer au pays. On pourra me reprocher tout, mais je suis fier d'avoir sauvé mon honneur de père.

À la naissance de notre fille j'étais le père le plus heureux de la terre. Je voulais que le monde entier le sache. J'ai payé la publication d'un faire-part dans les colonnes de *Libération* et du *Parisien* alors que dans notre milieu les bébés venaient au monde dans l'anonymat comme si leurs parents avaient honte de leur progéniture. On me voyait dans le quartier avec ma poussette et des couches Pampers. Je revenais de chez l'Arabe du coin, je le laissais parler à ma fillette puisqu'il prétendait que c'était à cet âge-là que les enfants pouvaient comprendre toutes les langues du monde. Il lui parlait donc en arabe sans me traduire ce qu'il racontait…

*

Je n'ai pas attendu trois mois pour débarquer au Jip's avec la gamine et la montrer à mes potes, pour qu'ils sachent, eux aussi, que j'étais devenu un père. C'est eux qui avaient insisté, ils me reprochaient de cacher la fille comme les gens de ma tribu qui ne montrent leur enfant que quelques mois plus tard afin d'éviter que les méchants ne lui jettent un mauvais sort. Moi je leur répondais qu'ils n'avaient qu'à lire les journaux de ce pays, qu'il y avait dans *Libération* et *Le Parisien* un faire-part.

C'est d'abord Bosco Le Poète de l'ambassade qui a vu la petite. Il était debout à l'entrée avec un verre de rouge à la main et un livre de Rimbaud. Il a eu un moment de silence, il s'est écarté de la porte et nous a regardés de loin, le visage crispé. Je lui ai fait signe de la tête qu'il pouvait prendre l'enfant dans ses bras, que ça ne me gênait pas.

– Ça va pas, non ?

Je n'ai pas compris sa réaction. Il paraît qu'au Tchad, dans son ethnie, les hommes ne touchent pas un bébé jusqu'au douzième mois.

– Ne te vexe pas, mon gars. J'écrirai pour ta fille un poème dans le genre « Lorsque l'enfant paraît » de Victor Hugo. Et tu verras, je te le garantis, y aura des rimes très riches du début jusqu'à la fin !

Le problème avec les poètes d'aujourd'hui c'est qu'ils ont abandonné la versification. Alors tout le monde se dit poète, y a plus moyen de séparer le bon grain de l'ivraie. Je suis scié quand je lis ce que les prétendus poètes écrivent maintenant. Où est passée l'élégance de Valéry ? Qu'en est-il du génie d'Hugo ? Qu'a-t-on fait de l'impertinence de Baudelaire ? Est-ce que tu peux me le dire, toi ? Je suis le seul à résister à la démission des poètes. S'il n'en reste qu'un, je serai celui-là. Pour ton bébé on va passer la commande tout de suite, je prends mon Bic et un papier pour le noter. Est-ce que tu veux des alexandrins ou plutôt des sixains ? Ne te casse pas la tête, je ferai deux versions, une avec des alexandrins, une autre avec des sixains. Donne-moi juste le temps de mûrir mon inspiration.

Je n'ai jamais reçu ce poème jusqu'à ce jour.

Quant à Vladimir Le Camerounais aux cigares les plus longs de France et de Navarre il a plaisanté en disant que ses deux cigares joints étaient plus longs que la taille de ma fille. En plus il se demandait pourquoi on l'avait prénommée Henriette. J'ai dit que c'était le nom de ma grand-mère, Henriette Nsoko, une femme qui a compté dans mon enfance, une femme qui me manque beaucoup. On allait avec ma mère la voir au village Louboulou dans le sud du Congo, elle est morte alors que j'avais à peine six ans. J'ai gardé d'elle l'image d'une vieille assise devant la porte de sa case, les yeux levés vers le ciel comme si elle s'en remettait à Dieu pour le reste de ses jours. Les chèvres étaient devenues ses seules confidentes, la vieillesse avait rongé sa mémoire et elle ne se rappelait plus qui j'étais. Lorsque j'ouvrais la porte de sa cuisine elle hurlait au voleur, les villageois accouraient pour lui expliquer que j'étais son petit-fils, le fils de sa fille Pauline Kengué, pas un voleur de chèvres. Mais la grand-mère, méfiante et dubitative, s'inquiétait :

– C'est qui Pauline Kengué ?

Vladimir ne l'a pas entendu de cette oreille :

– Je comprends bien qu'Henriette c'était le prénom de ta grand-mère, mais faut pas exagérer ! Avec tous les prénoms qu'on trouve dans les calendriers des Blancs, comment vous osez condamner à mort la pauvre petite fille ? Henriette c'est un prénom de vieille ! Tu sais, les Européens ils ne badinent pas avec les prénoms, ils prennent ça au sérieux. Ils en ont de jolis comme Georges, Valéry, François ou Jacques. Si vous m'aviez demandé mon avis je vous aurais bien conseillé. Mais en plus vous nous avez fait un bébé dans le dos, et vous imposez à la pauvre innocente un prénom de l'époque jurassique ! Est-ce qu'Henriette c'est vraiment un prénom qu'on peut donner à une enfant normale, hein ? Vous auriez pu l'appeler par exemple Jeanne, Charlotte, Odette, Marie ou que sais-je encore, c'est plus jeune, c'est plus charmant et ça donne de l'avenir à la gamine… Et puis y a un autre couac, je ne vais pas te le cacher, j'ai l'impression que ta fille-là elle sera plus noire que sa maman qui est déjà au summum de la négritude. On dirait que vous avez fabriqué votre bébé dans un four du Moyen-Âge chrétien et que vous l'avez trop laissé cramer sans surveiller le feu de l'Enfer. Parce que, tu le sais bien, normalement quand un enfant noir vient au monde il est d'abord très clair de peau comme les enfants des Blancs, ce n'est qu'après qu'il prend petit à petit la couleur d'origine. Or toi, ton enfant il est déjà tout noir. Là, j'avoue que je tombe des nues, je n'ai jamais vu un bébé aussi charbonné, même pas en Afrique !

Yves L'Ivoirien tout court a remis sur la table son histoire de dette coloniale :

– C'est un métis qu'il fallait avoir ! Tu n'as rien compris à ce pays alors que je me crève à répéter *urbi et orbi* que le problème le plus urgent pour nous autres de la négrerie c'est d'arracher ici et maintenant l'indemnisation pour ce qu'on nous a fait subir pendant la colonisation. Il faut chanter avec le musicien Tonton David que nous sommes issus d'un peuple qui a beaucoup souffert, d'un peuple qui ne veut plus souffrir. J'en ai marre de balayer les rues de la Gaule alors que je n'ai jamais vu un Blanc balayer les rues de ma Côte-d'Ivoire. Puisqu'on ne veut pas savoir qu'on existe dans ce pays, puisqu'on fait semblant de ne pas nous voir, puisqu'on nous emploie pour vider les poubelles, eh bien ne cherchons pas midi à quatorze heures, l'équation est simple, mon gars : plus nous sortons avec les Françaises, plus nous contribuons à laisser nos traces dans ce pays afin de dire à nos anciens colons que nous sommes toujours là, qu'ils sont contraints de composer avec nous, que le monde de demain sera bourré de nègres à chaque carrefour, des nègres qui seront des Français comme eux qu'ils le veuillent ou non, que s'ils ne nous remboursent pas dare-dare les dommages et intérêts que nous réclamons, eh bien nous allons carrément bâtardiser la Gaule par tous les moyens nécessaires ! Toi tu n'as vraiment rien compris, tu ne m'écoutes pas, tu me montres aujourd'hui que les Congolais sont les plus couillons de notre continent et qu'ils braillent beaucoup au lieu de passer à l'action directe. Est-ce que c'est avec des bébés comme le tien qu'on fera avancer notre cause, hein ? Ce bébé il ne compte pas à mes yeux, il nous fait régresser de cent ans. Quel destin il aura dans une Gaule qui va le traiter d'immigré du matin au soir ? Moi je suis direct quand je parle, maintenant si tu n'es pas d'accord, tu fais ce que tu veux. Pour moi cette naissance c'est rien, ça ne compte pas ! Zéro !

Roger Le Franco-Ivoirien a tourné autour de la poussette. Il a rapproché son nez comme s'il cherchait je ne sais quels indices. Tout le monde l'a regardé faire son inspection. Il a ramené la poussette vers la porte afin d'avoir un peu plus de lumière.

– Mais qu'est-ce qu'il fout ce Roger ? s'est demandé Paul du grand Congo.

– Il est en train de baptiser la petite ou quoi ? s'est étonné Willy.

Roger Le Franco-Ivoirien a ôté le chapeau en laine de ma fille pour mieux la dévisager. Puis, faisant la moue, il s'est relevé :

– Attends un peu Fessologue, c'est ça ton enfant en question ?

– D'après toi qui peut faire un enfant comme ça ici, hein ? a lancé Yves L'Ivoirien tout court à son demi-compatriote.

Les deux se chamaillent sans cesse, parfois ils vont se battre vers la fontaine des Halles.

Roger Le Franco-Ivoirien s'est bien redressé et a fusillé du regard son éternel adversaire :

– Yves, est-ce que c'est à toi que je parle ? Tu as déjà montré ton enfant ici ? Je m'adresse au Fessologue, pas à toi ! Tu n'existes pas à mes yeux ! Va attendre chez toi que la France t'indemnise pour ta colonisation comme si tes propres parents n'avaient pas coopéré et bénéficié du système ! Moi si j'étais le ministre de l'Immigration et de l'Identité nationale de ce pays je t'aurais retiré ta carte de résident !

Yves est sorti du Jip's en insultant son demi-compatriote :

– Ce Négro-Blanc commence à m'énerver ! Je m'en vais sinon ça va mal finir pour lui. C'est pas avec les métis de son espèce qu'on aura gain de cause dans ce pays. Pendant qu'on revendique nos droits, les Négro-Blancs nous vendent aux enchères comme à l'époque de l'esclavage. Ce type ne comprendra jamais notre lutte parce que lui c'est un vendu comme tous les autres métis. Quand le système est contre les Noirs il se dit blanc, et quand les Blancs lui rappellent qu'un métis n'est qu'un nègre comme un autre il revient au milieu des nègres ! Ce Roger que vous voyez dans ce bar est français le jour et ivoirien la nuit, jamais l'inverse ! Moi je veux qu'il soit ivoirien vingt-quatre heures sur vingt-quatre, sept jours sur sept et qu'il arrête de nous jouer son jeu d'hypocrite ! Vendu ! Complice des esclavagistes !

Roger Le Franco-Ivoirien n'a pas répondu à ces attaques. C'était pour lui de la routine.

Il s'est tourné vers moi :

– Tu n'as pas un sang chaud ou quoi ?

– Pourquoi ?

– Comment tu peux avoir un enfant qui ne te ressemble pas ?

D'un ton calme je lui ai dit de bien regarder ma fille. Je me suis déchaussé pour lui montrer mon pied.

– Regarde, on a les mêmes orteils…

– Les orteils et autres conneries c'est quand les grands-parents veulent se raccrocher à quelque chose ! Il faut du concret, une signature authentique et indélébile. Est-ce que tu es certain que c'est ton enfant, hein ?

C'est à ce moment que la petite s'est réveillée et s'est mise à pleurer. Je l'ai prise dans mes bras pour la bercer…

Paul m'a donné plusieurs flacons de parfum pour Couleur d'origine et m'a consolé dans un coin :

– N'écoute pas cet écervelé de Franco-Ivoirien ! Le roi Salomon a dit qu'un enfant, qu'il soit rouge, jaune, vert ou marron, c'est un enfant. J'ai entendu ça dans une chanson de Francis Bebey. Y a aussi quelqu'un qui a dit que la femme est le lieu exact de notre naissance, et il avait raison. Je ne sais plus qui l'a dit, mais ça doit être un type qui en a dans la tête. Donc on peut toujours polémiquer sur le papa d'un enfant, c'est pas nouveau, ça. Est-ce que lui, Roger, peut dire qu'il est vraiment le fils de son père ?

Pierrot Le Blanc nous a rejoints dans notre coin et m'a offert trois Pelforth. Il les a posées sur la table :

– Siffle-moi ces trois bières ! Une pour le Père, une autre pour le Fils et une autre pour le Saint-Esprit !

Il m'a rappelé de ne pas oublier qu'au commencement il n'y avait pas que le Verbe, mais aussi le sujet et le complément d'objet direct, que c'est l'Homme qui a introduit par méchanceté le complément d'objet indirect. Et c'est cette méchanceté qui animait certains de mes potes du Jip's. Je n'ai rien saisi à sa démonstration, j'ai toutefois pris cela pour des paroles réconfortantes au regard de ce que les autres avaient vomi.

Je ne suis plus revenu au Jip's avec Henriette. Quand on me demandait de la ramener, je répondais que mon bébé n'était pas un spécimen pour une exposition coloniale…

II

Je n'ai toujours pas dit à notre Arabe du coin que mon ex s'est tirée au pays il y a quelques mois. Un jour il faudra bien que je le lui avoue, je vais bientôt être à court de subterfuges. Je me suis retenu jusqu'à présent parce que je suis persuadé que si je le lui apprends il aura une crise cardiaque.

Quand je suis en face de lui, c'est toujours lui qui parle, il ne me laisse pas le temps de placer un seul mot. À la fin de ses envolées, lorsqu'il m'interroge sur la santé de mon ex et de ma fille, je réponds la même chose : elles sont en vacances au Congo. Tout se passe comme s'il poursuivait son monologue de la veille en rajoutant ici et là quelques gestes, quelques froncements de sourcils. Dès que je franchis la porte de son bazar, je dois prévoir au moins une bonne vingtaine de minutes d'écoute. Je sens qu'il me faudra bientôt trouver un « alibi en béton », comme dit notre voisin, le jeune homme du septième étage, escalier A, et qui a une mère agonisante du côté de Champagnac-de-Belair. Or ma stratégie c'est de résoudre la difficulté au moment où elle se pose. Je ne me vois pas lui dire sans transition :

« Je t'ai menti jusqu'à présent quand tu me demandais des nouvelles de ma fille et de ma compagne, mais ça fait maintenant un bail qu'elles sont parties au pays avec L'Hybride, ce vaurien. »

Ça ne sert à rien d'anticiper les choses, je ne lâcherai rien. C'est une question de dignité et d'honneur…

Depuis sa caisse il voit tout le monde sortir de notre immeuble. Son magasin n'est pas au coin de la rue mais au milieu, en face de notre bâtiment. En principe on ne devrait pas l'appeler l'Arabe du coin, mais l'Arabe d'en face. Or depuis la nuit des temps les gens disent toujours l'Arabe du coin, c'est pas à moi d'opérer une révolution radicale en un claquement de doigts. Si on se mettait à remettre en cause tout ce qui rappelle que la langue française est parfois injuste, voire injurieuse à l'égard de certaines catégories de personnes, eh bien on ne s'en sortirait plus. Il y aurait des guerres civiles dans les anciens territoires de l'Empire français, et la Gaule elle-même volerait en éclats pour tomber dans les mains des Romains. Il y aurait des procès qui se ramasseraient à la pelle comme des feuilles mortes. On ne saurait plus qui réclame quoi et à quand date telle ou telle injustice. C'est dire que les académiciens auraient enfin du boulot à temps plein. J'imagine que c'est les putes qui exigeraient des comptes parce que la langue française est trop vache avec elles. Elles diraient par exemple pourquoi un « homme public » est un personnage important alors qu'une « femme publique » est une pute ? Pourquoi un « homme à femmes » est un séducteur alors qu'une « femme à hommes » est une Marie-couche-toi-là ? Pourquoi un « courtisan » est un proche du roi, du pouvoir alors qu'une « courtisane » est une simple péripatéticienne ? Non, moi je ne veux pas mener ce combat. On dit l'Arabe du coin, je le dis moi aussi même s'il est en face de notre immeuble et qu'au coin de notre rue il y a plutôt un serrurier qui est un Français moyen, mais sans baguette et béret basque…

Notre Arabe du coin, si tu t'amuses à ne pas le saluer, il sort de son établissement, il te sermonne sèchement sur les bonnes manières. Même quand tu te dis qu'il a enfin le dos tourné, que tu peux en profiter pour l'esquiver, il te mettra la main dessus. Il a comme un troisième œil dans sa nuque, et cet œil-là est plus fort que les histoires de la Bible sur l'œil de Caïn. Et puisque comme tous les Arabes du coin le nôtre aussi ne ferme que très tard sa boutique, vers une heure du matin, tu ne peux pas essayer de tromper son œil de lynx. Sa vie c'est son magasin et *vice versa*. Les gamins qui piquent ses bananes sur la devanture en savent quelque chose. Lui il ne dit rien, il voit tout et attend que leurs parents viennent un jour dans son épicerie. Et là il leur fait un cours de rattrapage sur l'éducation des mineurs. Si les gamins volent c'est que leurs parents ont failli dans leur mission d'éducateurs. Donc ce ne sont pas les enfants qu'il faut condamner mais leurs père et mère…

Il mange derrière sa caisse, il lit son vieux coran là aussi. Parfois je me demande à quel moment il va aux toilettes. Normalement s'il est un être humain comme nous, il doit bien avoir des besoins naturels à une heure de la journée. Mais non, lui il est là, indéboulonnable, énergique, partout à la fois, jamais fatigué pour un sou.

Il est chauve avec un petit ventre et une barbichette grise. Il y a de gros poils enracinés dans ses oreilles et il les tire de temps à autre quand il est en train de te parler. Des habitants du quartier ont crédit chez lui, il leur a ouvert un gros cahier. Les noms des mauvais payeurs sont écrits en rouge. Il appelle tout le monde « camarades », moi j'ai droit à « mon frère africain » parce que d'après lui l'Afrique c'est la terre de l'entraide, c'est le continent de la solidarité. Il soutient que l'Africain a été le premier homme sur la Terre, les autres races ne sont venues qu'après. Tous les hommes sont donc des immigrés, sauf les Africains qui sont chez eux ici-bas. Et d'ailleurs, d'après lui, nous autres les Africains nous sommes des Égyptiens et nous avons emprunté le Nil pour nous disséminer à travers le continent. Il me souffle à l'oreille que cette vérité-là l'Occident ne pourra jamais l'enseigner parce que ça remettrait beaucoup de choses en cause :

– L'Occident nous a trop longtemps gavés de mensonges et gonflés de pestilences, mon frère africain ! Tu sais quel poète noir a dit ces paroles courageuses, hein ? C'est pas évident de dire aux Européens qu'ils ne sont en réalité que des immigrés et que leur continent à eux appartient en fait aux Africains qui sont les premiers hommes de la Terre ! Prends par exemple ce Sénégalais-là, un grand historien, un grand érudit, j'ai oublié son nom… Comment il s'appelait déjà ? J'ai son nom sur le bout des lèvres… Bon, ça me reviendra, et de toute façon les Sénégalais, c'est simple, faut pas chercher midi à quatorze heures, ils s'appellent tous Diop, l'essentiel est de trouver leur prénom. Ce Sénégalais en question était trop fort, mon frère africain. Quand il a démontré aux Blancs, preuves scientifiques à l'appui, qu'il y avait plein de Noirs dans l'Égypte ancienne, que ces Noirs-là étaient des chefs, eh bien l'Europe a catégoriquement refusé de le reconnaître. On a prétendu que les Noirs n'étaient pas capables de construire des pyramides, qu'ils ont été maudits depuis la nuit des temps quand Cham, un des fils de Noé, avait vu la nudité de son père. Les Noirs seraient donc condamnés à la malédiction avec un sexe si surdimensionné qu'aucun caleçon ne pourrait le camoufler. Le Sénégalais historien combattait ce genre de préjugés. À la Sorbonne les Blancs ont refusé qu'il soutienne ses thèses ! Dans ton âme et conscience, tu trouves ce comportement normal, hein ? D'après toi pourquoi l'Europe se comporte-t-elle de cette façon avec les Africains, hein ? Eh bien je vais te le dire : les Européens, s'ils acceptaient qu'il y ait eu des Noirs en Égypte, des Noirs intelligents, des Noirs chefs, des Noirs avec des sexes normaux, ils devraient aussi accepter que les philosophes européens qui venaient en Égypte depuis l'Antiquité c'était pour nous piquer nos idées et aller développer leur philosophie à eux sans nous dire merci. C'est pourquoi, mon frère africain, l'Europe te dira toujours que l'Égypte c'est pas l'Afrique ! Mais tout le monde sait maintenant qu'elle nous a longtemps gavés de mensonges et gonflés de pestilences…

*

Je me rappelle qu'à la naissance de notre fille l'Arabe du coin venait en personne dans notre immeuble nous apporter de l'eau minérale, du lait et des couches Pampers. Moi je me disais qu'il se débarrassait de sa marchandise avariée comme ces pays développés qui envoient leurs médicaments périmés dans les pays sous-développés. J'avais tort et j'étais tout confus de mettre en doute la générosité de notre Arabe du coin. Il frappait à notre porte, restait un moment à discuter avec nous, nous gratifiait de son humour qui tournait souvent autour du Juif et de l'Arabe. Il fallait rire même si tu ne comprenais rien. Et nous on s'efforçait de rire aux éclats, voire aux larmes. C'était pas difficile pour mon ex puisqu'elle avait le rire facile. Et si moi je riais c'est en fait parce que je riais de son rire.

L'Arabe du coin nous disait de vite changer de logement, que ça serait dur quand l'enfant commencerait à marcher à quatre pattes. La petite casserait tout dans le studio. Il disait que les enfants aiment gambader à gauche et à droite pour inspecter les coins de la maison. Et dans un espace aussi exigu que le nôtre, Henriette se sentirait prisonnière comme dans une cage. Il promettait de nous aider parce qu'il avait quelques-uns de ses compatriotes qui travaillaient dans l'immobilier à Charenton-le-Pont. Or mon ex, fallait pas lui parler de la banlieue même la plus proche de Paris. Rien qu'à entendre le mot « banlieue » ça lui donnait des boutons de fièvre…

On avait donc de temps à autre des bouteilles d'eau, du lait et des couches à l'œil. Moi ça me gênait, mais comment dire non à notre Arabe du coin sans le fâcher ? On prenait tout ça, on le mettait dans un placard du studio. Mon ex était heureuse, pas moi. Elle disait, pour avoir la conscience tranquille :

– Pourquoi ça te préoccupe, toi ? C'est pas nous qui lui demandons quelque chose ! C'est surtout pour notre fille qu'il fait ça parce que dans la Bible ou dans le Coran ce sont les enfants qui sont les patrons. Le Royaume des Cieux c'est pour eux. En plus il sait qu'en donnant aux enfants Dieu le lui rendra en pagaille, sans compter les vingt-deux femmes vierges auxquelles il aura droit automatiquement au Paradis comme récompense de sa droiture sur Terre.

Et moi je protestais :

– Y a pas que nous qui avons un enfant dans le quartier ! Pourquoi ne donne-t-il pas à toutes les familles qui ont des enfants ?

– Eh bien, c'est parce qu'on est juste en face de son bazar ! Je l'ai déjà vu donner des bonbons et des bananes à d'autres enfants…

*

Désormais, après mon passage au Jip's, lorsque j'entre dans sa boutique, notre Arabe du coin s'excite, il retient mon pack de Pelforth pour me parler encore plus longtemps. Il me montre alors sa caisse, se plaint que l'argent ne vaut plus ce qu'il était à l'époque du franc et de l'ancien franc. Il peste contre les grands magasins qui tuent les petits commerces. Il me parle de sa famille restée au pays, de la maison qu'il est en train de construire là-bas, de la concurrence dans le quartier avec ces Pakistanais et ces Chinois qui ne lui font pas de cadeaux :

– Le commerce n'est plus ce qu'il était à mon arrivée dans ce pays. Maintenant il y a plus de commerçants que de clients ! La mondialisation, c'est ça : des Chinois et des Pakistanais à chaque bout de rue, qu'est-ce que tu veux que je te dise, moi ? Je te jure, mon frère africain, ces Chinois, ces Pakistanais, ils achètent tout ! Ils ont de l'argent qui arrive depuis leur pays en passant par les égouts de Paris ! Est-ce que tu es au courant qu'ils s'installent aussi dans ton pays à toi, loin là-bas ? D'après toi qu'est-ce qu'ils vont foutre au cœur des ténèbres alors que l'esclavage a été aboli et que les colons ont plié leurs bagages ou ont été chassés par les autochtones, hein ? Nos nouveaux colons à nous c'est ces Chinois et ces Pakistanais que tu vois dans les rues. Ils sont malins, ils disent qu'ils sont différents de nos anciens maîtres et qu'on est tous originaires des pays en voie de développement, qu'on est tous du tiers-monde, et ils font semblant de nous construire des palais du peuple pour que nos parlementaires siègent assis dans des fauteuils en cuir avec de l'air conditionné et une fontaine dans la cour, est-ce que c'est ça qui va faire bouillir la marmite de la populace, hein mon frère africain ? Un colon est un colon même s'il te construit un grand palais du peuple ! Moi je vais t'expliquer par exemple comment les Chinois et les Pakistanais sont arrivés en France et se sont installés en utilisant la stratégie des antilopes : d'abord ils se sont éparpillés en grand nombre, puis ils ont commencé à s'établir doucement, sans faire de bruit alors que vous les Noirs et nous les Arabes quand on arrive quelque part la première infraction qu'on commet c'est le trouble de voisinage ! Les Chinois et les Pakistanais ? Ils sont forts, ces gens ! On ne les voit pas dans les informations de vingt heures en train de cramer les voitures, ils ne font pas les grèves avec les autres immigrés, ils sourient à tout le monde. Or le sourire, c'est la clé des affaires. Si tous les clandestins de ce pays avaient le sourire je crois qu'on les renverrait jamais chez eux dans des charters, ils rentreraient en classe Affaires d'Air France ! Je te jure, mon frère africain !

Moi je l'écoute, je piaffe d'impatience. Mais ce n'est pas la fin de sa diatribe.

Il relance, avec encore plus d'énergie :

– On s'est réveillés un matin en ouvrant nos boutiques à nous, les Chinois et les Pakistanais étaient déjà là et avaient tout acheté sans prendre un seul crédit dans ce pays parce que, ces gens, ils ont leurs banques à eux ! Moi quand je demande un crédit ici, c'est toute une histoire ! C'est à peine si le banquier ne veut pas voir mon permis de conduire une bicyclette ou me demande si j'utilise mes doigts ou une fourchette pour manger ! Résultat des courses : il n'y a presque plus de commerce de mon genre dans le quartier. Nous sommes les derniers des Mohicans. C'est fini cette histoire d'Arabe du coin, faut plus qu'on m'en parle ! Même ma petite affaire que tu vois là, eh bien, j'en ai assez, elle finira entre les dents des Chinois et des Pakistanais. Nous on est pourtant des gens qui se dévouent pour les autres. Y a rien à dire là-dessus, nous sommes d'utilité publique. Quand je vends ma marchandise, je ne vois pas la couleur de la peau des clients. Je vends aux pauvres, je vends aux riches, je vends aux handicapés, je vends aux Noirs, je vends aux Arabes, je vends à toutes les races qui existent ici-bas parce que quelle que soit la race, notre sang à tous il est rouge…

Il observe un silence. Je vois presque des larmes dans ses yeux. Il me tourne le dos comme pour me les cacher.

Puis le voilà qui se redresse, me fixe et reprend :

– Mon frère africain, la situation est grave, nous devons nous aider les uns les autres. Ce pays n'existe que grâce à nous, est-ce que tu comprends cette logique, hein ? On a toujours été là chaque fois que la France était en guerre alors qu'on pouvait rester chez nous. Les Pakistanais et les Chinois, est-ce qu'ils ont aidé la France ? Est-ce qu'ils ont versé leur sang pour ce pays ? Le jour où nous autres les Arabes du coin on ne sera plus là, ce pays perdra tout, mais vraiment tout. La France perdra ses Arabes du coin ! Est-ce que tu suis ma logique ? Et vous aussi les Noirs, mes frères africains, soyez vigilants, parce que après nous, ce sera votre tour ! Ils disent qu'il y a trop de travail au noir, tu as déjà entendu ça, non ? Or si vous quittez tous ce pays, c'est vrai qu'il n'y aura plus de Noirs, mais il n'y aura plus de travail ! Y en a marre à la fin ! Ils nous engueulent à la télé, à la radio et dans les journaux, est-ce que c'est nous qui creusons le trou de la sécu ? Il nous reste une chose, mon frère africain, c'est l'union de l'Afrique, ce n'est que comme ça qu'on bâtira l'Unité africaine du Guide éclairé Mouammar Kadhafi !

Il dit tout ça avec mon pack de bières Pelforth entre les mains. Je tousse pour lui faire signe que je dois maintenant rentrer chez moi, il déboule à nouveau :

– Attends, attends un peu, mon frère africain, que je te dise un truc très important parce que ce monde est en train de foutre le camp sous nos yeux, et nous on ne fait rien. Je ne parle même pas de ce trou de la sécu qui est grand comme ça, mais je parle seulement de ce que je vois devant moi, devant cette rue, devant ton immeuble. Moi j'ai soixante-trois ans et demi, j'ai grandi dans le respect strict de mes parents, mais aussi de l'étranger, et je suis fier de ça ! Le respect c'est le fondement de la société, est-ce que tu suis toujours cette logique, mon frère africain ? Le grand problème de la France c'est quoi ? Je vais te le dire, moi, le vrai problème de la France. Faut pas écouter ce qu'on raconte à la télé, c'est pour nous embrouiller. Le problème de la France est ailleurs, il est profond, il est dans la morale. C'est pas même le chômage, c'est pas même le trou de la sécu, le problème de la France c'est LE RESPECT ! C'est un héritage, un grand héritage, LE RESPECT. Mais les jeunes d'aujourd'hui, qu'est-ce qu'ils font, hein ? Eh bien, ils cassent tout ! Ils croient qu'ils sont plus intelligents que leurs parents ! Alors eux aussi parlent quand leurs parents parlent. Ils emmènent leurs petites amies ou leurs petits copains à la maison pour faire des galipettes alors que de notre temps on se cachait dans les égouts pour faire ça. Eux ils font cette chose-là devant leur famille. Ils ne vont même plus à l'école, ils ne lisent même plus le Coran, est-ce que tu suis cette logique ? Franchement ! Et les filles alors ? C'est la pagaille, tout ça avec la complicité de leurs parents qui les laissent porter des mini-jupes, des jeans troués aux fesses, des strings rouges et des tatouages de dragons, des T-shirts avec les seins en plein air ! Comment veux-tu que les bandits ne les violent pas, hein ? C'est pas la faute aux violeurs, c'est la faute aux filles qui exposent leur marchandise dehors. Quand tu te promènes avec un os dans la rue, les chiens du quartier courent après ça, je te jure ! Mais quand tu mets l'os bien au fond de ton panier, les chiens du quartier ne sont pas au courant qu'il y a un os dedans, c'est tout ! Bon, remarque que ces chiens peuvent aussi sentir qu'il y a un os qui est caché quelque part, parce que, faut pas croire, mon frère africain, les chiens français ne sont pas aussi stupides qu'on le croit, ils ont aussi un nez très puissant comme les chiens africains. Mais moi je n'ai jamais vu un chien de n'importe quelle nationalité ouvrir le sac d'une femme normale pour prendre l'os qui est bien caché dedans ! Et moi quand je vois ces filles bizarres passer devant ma boutique – il y en a d'ailleurs qui viennent ici me provoquer –, je me dis que le monde est foutu pour toujours, je te jure, mon frère africain. Tout ça c'est la faute à qui ? Est-ce que tu peux me le dire, hein ? C'EST LA FAUTE À L'OCCIDENT ! Tu penses que c'est ça la civilisation, ce que nous voyons dans ce pays ? Tu penses que c'est ça le développement, ce que nous voyons dans ce pays ? Je préfère même que mon pays à moi reste sous-développé jusqu'à la fin du monde, pourvu qu'il n'emprunte pas ce chemin, tu suis cette logique, non ?…

Moi j'acquiesce en me demandant à quel moment il va enfin arrêter son discours.

– Aujourd'hui, c'est pour moi, il dit. C'est moi qui t'offre les Pelforth, je te donne aussi les bananes, mon frère, nous sommes tous des Africains !

– Merci beaucoup…

– Comment vont ta femme et ta fille ? Toujours en vacances au pays ?

– Toujours.

– Elles ont de la chance. Avec le temps de merde qu'il fait ici, à leur place moi je resterais longtemps au soleil… Une vraie battante, ta femme ! Très courageuse, très obéissante, toujours en train de travailler et de s'occuper de votre petite !

– Merci…

Il faut que je me fasse à l'idée que Couleur d'origine vit désormais au pays avec L'Hybride qui joue du tam-tam dans un groupe que personne ne connaît ici, qu'il paraît que ce groupe fait la pluie diluvienne et le beau temps là-bas et qu'il y a des filles normales qui tombent dans les pommes pendant leurs concerts de merde comme si c'était un concert de James Brown.

Est-ce que les gens du pays connaissent la vraie musique ? Eux ils ne font que se tortiller, ils entrent en transe dès qu'ils entendent le tam-tam battre. Est-ce que jouer du tam-tam dans un groupe est une activité honorable, hein ? Est-ce que tu peux arriver chez toi et dire à ta femme chérie moi je joue du tam-tam, c'est mon travail et voici mes fiches de paie ? C'est ça qui peut combler le trou de la sécu ou réparer la panne de l'ascenseur social ? Et Roger Le Franco-Ivoirien veut que moi je parle du tam-tam ou du tambour dans mon journal ! Franchement ! Le tam-tam c'est pour les amateurs du tapage nocturne, un point c'est tout. C'est pour ça qu'à la différence de notre Arabe du coin, moi je respecte les Chinois et les Pakistanais. Ce sont de braves types à qui on colle injustement la mauvaise réputation qu'ils se démènent ou qu'ils restent cois alors qu'ils ne font du mal à personne. Eux au moins ils ne jouent pas du tam-tam dans ce pays. Le jour où on inventera des tam-tams sans bruit, beaucoup de vieux nègres perdront leur raison de vivre. Le tam-tam on devrait l'abandonner pour toujours puisque son temps est révolu. C'est vrai que jadis pour s'amuser on utilisait cet instrument dans les champs de coton du Sud de l'Amérique là-bas pour dire aux autres esclaves attention il y a le maître qui vient avec ses chiens, faites semblant de travailler sinon il va vous chicoter ou vous vendre à un autre maître qui est plus méchant et qui va couper les jambes aux nègres marrons. C'est aussi avec le tam-tam que ces esclaves pleuraient les soleils lointains du continent noir quand ils avaient le blues. C'est aussi avec le tam-tam que les Africains ont accueilli les soleils des indépendances alors qu'ils ne savaient pas qu'ils allaient de Charybde en Scylla. Or l'heure n'est plus à l'amusement et au travail dans les champs de coton, l'heure n'est plus aux indépendances, et nous on joue ça du matin au soir, on va jusqu'à détourner les femmes bien casées avec ça…

*

À bien voir j'aurais pu m'en prendre à L'Hybride, lui coller au pays quelques-uns des amis qui lui auraient cabossé la figure. À quoi bon ? Je ne suis pas un homme à problèmes. Je suis un être courtois et, à la différence de monsieur Hippocrate, moi je suis très sociable, ouvert à toute discussion, attentif à l'évolution de notre société du spectacle. Je connais l'usage du monde. Par contre la bagarre, le conflit, je ne connais pas. Les polémiques, les prises de bec, je n'apprécie pas. D'ailleurs quand il y a une bagarre de banlieusards à la gare du Nord ou au métro Marcadet-Poissonniers je ne sépare pas les bagarreurs, je m'éloigne du champ de bataille, je laisse les belligérants se modeler leur portrait comme ils veulent. Faut jamais déranger les peintres contemporains, faut les laisser exprimer la folie de leur art quand ils peignent leur *Guernica*. Qu'ils se bagarrent comme ils l'entendent, c'est pas moi qui jouerai les arbitres. La bagarre ce n'est souvent qu'une histoire de manque de communication, je veux dire une méconnaissance de l'usage du monde.

Donc lorsqu'il y a une polémique ou une bagarre je prends mes jambes à mon cou car il suffit d'un mot de ta part, eux ils s'arrêtent de polémiquer ou de guerroyer, et c'est vers toi qu'ils se retournent parce que, comme il est dit dans une fable de La Fontaine, on confondra tes oreilles avec les cornes de l'animal qui aurait blessé le Lion et tu subiras le courroux du roi des animaux. C'est grâce à cette attitude de prudence extrême que mon casier judiciaire est tout vierge, et c'est pas donné à tout le monde d'avoir un casier comme le mien. Il est tellement vierge qu'on pourrait l'utiliser lorsqu'il y aura pénurie de formulaires au ministère de la Justice. En plus je ne fréquente pas les délinquants, je ne côtoie pas les criminels, je ne connais pas de juges, je ne me suis jamais assis en face d'un avocat…

Ce troubadour congolais ne m'arrive pas à la cheville, même pas au talon d'Achille. Est-ce qu'il a une moustache comme moi ou comme mon ami l'écrivain Louis-Philippe ? Est-ce qu'il a déjà porté des chaussures Weston dans sa vie ? Est-ce qu'il sait nouer une cravate en soie ? Est-ce qu'il sait pourquoi certains cols des chemises ont trois boutons ? Est-ce qu'il peut reconnaître un tissu 100 % laine vierge ? Est-ce qu'il possède un costume Francesco Smalto avec doublure surpiquée ? Est-ce qu'il a déjà vu le film *Les Démolisseurs* avec Jim Kelly, Jim Brown et Fred Williamson ? Est-ce qu'il a déjà lu *Trilogie sale de La Havane* de Pedro Juan Gutiérrez ? NON, NON ET NON !

Je dois me calmer sinon je risque de donner un coup de poing sur ma machine à écrire. Je dois me dire que L'Hybride est tout petit même quand il est debout. En plus il a un œil qui est plus grand que l'autre, et ses mains calleuses ressemblent aux pattes d'un crabe de la Côte sauvage de Pointe-Noire qui ne sait plus s'il faut retourner dans la mer ou errer dans le sable. Sa tête aussi est comme un parallélépipède rectangle. Sa peau est comme de la latérite bien noire, et quand on le regarde il n'y a pas de différence entre lui et les fameuses sculptures de lutteurs que le Sénégalais Ousmane Sow exposait sur le pont des Arts et qui faisaient tellement peur à certains Parisiens qu'ils étaient contraints, les pauvres, de traverser la Seine par d'autres ponts où il n'y avait même pas la joie qui venait après la peine…

Elle le regrettera un jour ou l'autre, Couleur d'origine. Quand on a la chance d'avoir un gars bien comme moi on ne le quitte pas, on s'accroche.

Je me demande ce que les gens cherchent dans leur existence. Qu'est-ce qu'elle va foutre avec L'Hybride, hein ? Écouter du tam-tam nuit et jour ? L'accompagner dans les concerts de l'arrière-pays ? C'est quoi cette histoire de ramener le tam-tam aux pauvres Africains d'Afrique ? Eux les Africains de là-bas ils s'en foutent désormais du tam-tam parce que c'est un truc qu'ils ont laissé aux Blancs qui vont prendre des cours pour ça, qui s'habillent en pagne pour faire local et qui sont tout contents parce qu'ils espèrent contribuer à l'intégration et à l'échange des cultures. Un Blanc qui apprend du tam-tam, c'est normal, ça fait chic, ça fait type qui est ouvert aux cultures du monde et pas du tout raciste pour un sou. Un Noir qui bat du tam-tam, ça craint, ça fait trop retour aux sources, à la case départ, à l'état naturel, à la musique dans la peau. C'est pas pour rien que les Européens s'intéressent comme ça au tam-tam. C'est pour comprendre comment les choses se passaient quand chez nous il n'y avait pas d'autres moyens de communication que celui-là.

*

L'Hybride n'a pas su tirer profit de la conjoncture actuelle avec son instrument. Si moi j'étais batteur comme lui, eh bien je me serais pas gêné, je serais resté en Europe pour en profiter à fond la caisse, j'aurais joué des fausses notes dans les comités d'entreprise des provinces, dans les crèches des banlieues, dans la Caisse des écoles du XIIIe arrondissement, à la fête foraine de la porte de Vincennes, dans les maisons de retraite de Rueil-Malmaison, dans les prisons ou dans les asiles psychiatriques parce que la musique n'a pas de barrières. Il y a de la thune à se faire ici parce que j'ai remarqué que les Blancs ne jugent pas notre musique à nous avec rigueur, surtout quand il y a le tam-tam qui vient foutre la merde dedans. Tout se complique quand les nègres fantaisistes rajoutent un peu de piano par-ci un peu de violon par-là. Comment voulez-vous que les pauvres Blancs s'en sortent, hein ? Ils se disent : « Attendez, attendez, on veut bien de votre tintamarre mais faut pas rabaisser notre Bach et notre Mozart à nous jusqu'à ce degré zéro ! »

Ils n'ont pas tort, leur musique à eux c'est écrit, ça se lit, on va à l'école pour l'apprendre, on redouble même les classes quand on est idiot. Alors que nous on en est encore à la musique qui se transmet par la peau. Foutaises ! Inepties ! Faut aller à l'école de musique comme tout le monde, un point c'est tout. Et là on verra bien le jour de l'examen final que ces histoires de la musique dans la peau c'est que du pipeau puisque les Blancs aussi ont une peau même si malheureusement pour eux elle n'est pas noire comme la nôtre...

L'Hybride n'a pas senti le vent du changement. Il croit que le mur de Berlin existe encore, que le général de Gaulle ressuscitera et nous ramènera notre prophète André Grenard Matsoua à l'aéroport de Maya-Maya, à Brazzaville. Il est convaincu que Nelson Mandela est encore emprisonné, que Diego Maradona jouera à la prochaine Coupe du monde de foot. C'est normal, je ne sais pas quel est son quotient intellectuel, lui. Comme l'autruche, son œil est plus grand que son cerveau.

Lorsque j'imagine que ma fille doit l'appeler « papa », ça me fait couler de la morve, or je ne veux pas me moucher sinon Couleur d'origine et L'Hybride crieront victoire parce que c'est celui qui se sent morveux qui doit en principe se moucher. N'empêche que je n'arrive pas à freiner mon envie de m'exprimer, de dire dans ce journal ce que j'ai dans le cœur contre lui…

L'Hybride devenait de plus en plus envahissant. Quand son groupe avait un concert à Paris, il débarquait chez nous sans rendez-vous, avec des cadeaux pour la petite. Il se penchait sur notre fille, la berçait comme si c'était la sienne, et il lui parlait dans un patois bizarre. Et comme l'Arabe du coin m'avait expliqué que les enfants comprenaient toutes les langues du monde, je me demandais ce que ce troubadour racontait à Henriette. Il parlait vite avec un sourire jusqu'aux oreilles. Et l'enfant s'agitait, rigolait, lui tendait ses bras. L'Hybride sortait alors un nounours de son sac, puis une poupée, puis une robe rose.

Est-ce à cause des élucubrations de Roger Le Franco-Ivoirien que je trouvais moi aussi tout à coup que ma fille ne me ressemblait pas ? Plus j'y pensais, plus j'avais le sentiment qu'elle ressemblait un peu à L'Hybride. Je regardais donc tour à tour Henriette et L'Hybride : même nez, mêmes yeux, même bouche, il n'y avait que les orteils que je pouvais revendiquer.

J'ai dit à Couleur d'origine :

– Y a quelque chose que je ne comprends pas, mon enfant-là je trouve qu'elle commence trop à ressembler à ton cousin ! Faut plus qu'il vienne ici lui montrer sa figure, je ne veux pas que la petite soit vilaine alors que moi je suis beau !

Sa réponse a été frontale :

– Tu as un problème avec mon cousin ou quoi ? Est-ce que tu sais qu'il peut te déloger d'ici ? Est-ce que tu sais que c'est lui qui a payé la caution de ce studio, hein ?

L'Hybride avait donc fini par me faire passer pour un pingre de la dernière espèce aux yeux de Couleur d'origine. À elle aussi il lui achetait des chaussures, des montres, des pagnes multicolores, des bibelots et des pantalons bien moulants qui serraient encore plus la face B de mon ex et me rendaient fou alors qu'elle refusait de plus en plus que je lui caresse même l'orteil gauche ou l'oreille droite. À une heure du matin je devais négocier, argumenter, parlementer, disserter jusqu'à déranger monsieur Hippocrate qui m'entendait rouspéter quand elle me repoussait, me jurait que moi je ne la toucherais plus tant que je ne changerais pas mon comportement à l'égard de son cousin.

Lorsqu'il repartait à Amiens, il appelait Couleur d'origine chaque soir, prenait des nouvelles d'Henriette. Et c'est moi qu'on engueulait quand tombait la facture de téléphone alors que les deux ils restaient des heures et des heures à bavarder et à rigoler pour des futilités.

C'est vrai que je téléphonais souvent à Louis-Philippe, mais on ne se parlait pas plus de dix ou quinze minutes. Je le tenais au courant de mes écrits, des oiseaux que j'avais vus s'agiter dans les arbres du jardin public, je lui assurais que j'avais noté le moindre de leurs gestes, le moindre de leurs chants, et lui il me promettait de me lire, de me donner son avis. Si je voulais me confier à lui sur ce qui se passait à la maison, j'allais lui rendre visite, on s'attablait dans un café de son voisinage et je pouvais lui lire ce que j'avais griffonné les jours d'avant et comment L'Hybride foutait des embrouilles dans notre union…

*

C'est au bar Le Sangho, à Château-Rouge, que j'ai fait la connaissance de celui qu'on surnomme Macchabée. C'est peut-être un peu à cause de ce qu'il m'avait raconté que Couleur d'origine et moi en sommes arrivés à ce point.

Ce jour-là j'avais offert des Pelforth à deux compatriotes qui m'avaient fixé rendez-vous au Sangho. Il y avait ce troisième compatriote qui est venu s'installer avec nous et qui a insisté pour que moi je lui offre aussi une Pelforth alors qu'on n'avait pas élevé les vaches ensemble. Il m'a dit qu'il me connaissait, que son père et le mien étaient de grands amis. J'ai remué mes souvenirs, puis j'ai compris qu'il avait raison, mais que c'était son grand frère, Hervé, que je connaissais à l'époque où j'étais au lycée Karl-Marx. Macchabée me prenait donc pour mon petit frère. Je lui ai alors offert une Pelforth. Il m'a appris qu'il était musicien dans un groupe traditionnel, que les affaires ne marchaient plus pour lui, qu'il avait été viré du jour au lendemain par un certain Mitori.

Ce nom me disait quelque chose. J'ai mis du temps avant de me rendre compte que c'était le vrai nom de L'Hybride. Lucien Mitori…

Au bout d'une demi-heure Macchabée avait déjà fini quatre bouteilles de bière. Dès qu'il levait le doigt vers le comptoir on le servait comme si c'était lui qui allait payer l'addition.

Il a commencé à délirer, à m'appeler sans cesse « grand frère », à me dire que je n'étais pas n'importe qui :

– Grand frère, toi tu es un puissant ! Èèèè ! Toi tu es vraiment quelqu'un ! Y a des embrouilleurs dans Paris, mais pas toi, grand frère ! Tu vois le costume que tu portes là ? C'est un costume terrible ! Au pays tu attraperais les nanas comme des mouches, je te jure ! Ça c'est des tenues que les Blancs eux-mêmes ne savent pas où ça se vend et comment ça se fabrique ! Moi, que je te dise, grand frère, j'essaie de me débrouiller comme je peux, je suis un vrai musicien, moi ! Y a pas deux musiciens de mon gabarit dans tout Paris. Et comment ! J'ai enregistré des sons avec des artistes comme Lokua Kanza, Ray Lema ou Richard Bona. J'ai failli enregistrer avec le vieux Manu Dibango, mais ça a capoté au dernier moment parce que son agenda était trop compliqué. Donc je joue à gauche et à droite, mais c'est dur. Le mois dernier je jouais encore avec Les Griots du Congo. Dans ce groupe on n'a pas voulu de moi parce que j'ai du talent. Mon tour viendra, je te jure, grand frère ! D'après toi, pourquoi on m'a viré du groupe Les Griots du Congo, hein ? C'était un coup monté contre moi. Et c'est Mitori qui a fait ce coup d'État parce que moi je commençais à avoir trop de pouvoir et de succès dans le groupe, parce que j'étais presque le numéro deux. Il a eu peur qu'un jour je sois le chef, il a eu surtout peur parce que je ne suis pas de son ethnie à lui. Est-ce que c'est normal ça, grand frère ? Je n'aime pas ce Mitori ! C'est un chien ! C'est un hypocrite ! J'en avais marre ! Les gens de chez nous ils ne changeront jamais !

Il s'est retourné, a vu passer la serveuse et l'a attrapée par la main :

– Qu'est-ce que tu as à tourner ton cul comme ça autour de mon grand frère ? Tu veux lui donner des vertiges ou quoi ? Tu crois que c'est un défilé de mode ici ? Tu ne vois pas que mes bouteilles sont vides et que mon grand frère s'occupe de moi comme il faut ? Qu'est-ce que tu attends alors pour les remplacer dare-dare, hein ?

Je lui ai fait signe de se calmer.

– Non grand frère, je ne comprends plus les bars des Africains ! Chez les Blancs quand une bouteille est vide, elle est vide ! Et on ramène une autre dare-dare ! Chez nous les serveuses tournent en rond, draguent les clients ! Allez, mademoiselle, apporte-moi deux Pelforth bien frappées et laisse mon grand frère tranquille !

La serveuse est allée bouder au fond du bar. Macchabée a rapproché sa chaise vers moi :

– Grand frère, merci pour ces bières, toi tu n'es pas n'importe qui ! Tu te rends compte que les Congolais de France ils font des groupes musicaux par ethnies comme si on était encore au pays ? C'est ça qu'ils appellent promouvoir la musique traditionnelle de notre nation ? Quelle image on va donner de nous en Europe, hein ? Ils disent à tout le monde que c'est la musique du Congo qu'ils jouent, et moi je ne suis pas congolais, moi ? C'est parce que je ne suis pas de leur ethnie qu'ils m'ont exclu ! Ce Mitori, c'est un chien ! Ce Mitori, c'est un hypocrite ! Ce Mitori, je l'aime pas ! Il pue quand il transpire. Il est petit comme les nains qu'on voit avec Blanche-Neige dans les livres des enfants européens. En plus quand il joue du tam-tam l'instrument est plus haut que lui ! Tu as déjà vu ça où, un homme qui est plus petit que son propre tam-tam, hein ? Si je le croise sur mon chemin, je lui esquinte le nez ! Y avait des concerts où lui il m'écartait, il disait que les producteurs n'avaient pas d'argent et qu'il fallait réduire les effectifs ! Grand frère, toi qui connais ce pays depuis longtemps comme moi, est-ce que tu as déjà vu un producteur blanc qui n'a pas d'argent, hein ? Sinon comment les Michel Sardou et les Charles Aznavour ne sont jamais tombés en faillite, hein ? Tous les producteurs blancs ont toujours l'argent, qu'on ne me raconte pas des âneries ! Ce sont nos producteurs noirs qui n'ont rien, c'est tout ! Ils volent les artistes, ils fuient avec la caisse au pays, et c'est pour ça qu'on n'a pas de musiciens qui sont aussi riches que les Michel Sardou et les Charles Aznavour. Grand frère, cite-moi un seul de nos musiciens qui est riche ! Y a rien ! Zéro ! Ils vivent pauvres, ils meurent pauvres, le pire c'est qu'on oublie aussi leur musique s'il n'y a pas un Blanc qui s'en occupe. Je suis pas extrémiste quand je dis ça, et c'est pas ces Pelforth qui vont me tourner le cerveau dans la direction de La Mecque. Avoir un producteur blanc, c'est une occasion de s'enrichir. Et lui Mitori, il a voulu s'enrichir tout seul, il a voulu en faire profiter les gens de son ethnie. Alors il a embauché un autre joueur de congas à ma place, un gars de son village natal, et ce musicien c'est moi qui l'ai formé ici à Paris ! Tu vois le problème ? Je suis quoi dans cette histoire, hein ? Il a quelle expérience, lui Mitori, pour diriger un groupe en France, hein ? Moi je peux mieux jouer le tam-tam que lui ! C'est un petit voyou de rien du tout, un anarchiste comme on dit en France. Il est arrivé à Nancy grâce à son cousin qui l'a ensuite chassé parce que c'était un fainéant, parce qu'il voulait tirer la femme de son bon Samaritain de cousin, et la femme a dit NON, NON, NON, NON, NON !

Mme Sangho, la propriétaire du bar, est venue lui dire de baisser le ton, qu'il y avait d'autres clients que notre bruit indisposait.

– Qui sont ces clients ? Qu'est-ce qu'ils ont de plus que mon grand frère ? Laissez-moi tranquille, madame ! Je dois parler ! J'en ai marre ! Est-ce que moi je cherche la bagarre dans ce bar ? C'est mon grand frère qui me paie la bière, il a l'argent, il est bien habillé, est-ce que vous avez vu son costume ? Vous savez où il l'a acheté ? On est en France ou pas ? Le client est roi !

Puis, se penchant vers moi comme s'il ne voulait pas que les autres compatriotes partagent les confidences qu'il allait me faire, il a murmuré d'une voix grave :

– Grand frère, je vais te dire quelque chose que tu dois garder pour toi… C'est très grave ce que ce Mitori a fait. C'est un salaud ! C'est parce que tu ne le connais pas, grand frère ! Si tu le croises ici ou ailleurs, ne lui offre surtout pas de la bière car je vois que tu es trop gentil et on te prendra toujours pour un couillon. Trop bon, trop couillon. Mitori c'est une canaille, c'est un serpent, je te jure ! Je te dis pas le scandale qu'il y a eu à Nancy où il habitait avant ! C'est là-bas qu'il a déviergé une jeune fille d'un avocat de chez nous qui fait un peu de politique et qui veut d'ailleurs devenir président grâce au coup de pouce des Américains. Tu crois que les Américains ils vont aider un type comme ça qui n'a pas fait la guerre du Vietnam ou qui n'a pas bombardé les Irakiens ? Les Américains ne te respectent que si tu as fait la guerre à leurs côtés ! Et nous les Congolais, est-ce qu'on a combattu avec les Américains ? NON, NON, NON ! Cet avocat a envoyé Mitori en taule pendant deux ans, on avait rapporté l'histoire dans les journaux parce que la fille de l'avocat elle avait encore que dix-sept ans alors que Mitori était majeur depuis longtemps, et les Français ils ne jouent pas avec ça ! Chez nous dix-sept ans c'est pas un problème, on peut déjà avoir deux enfants, voire trois ou quatre, mais ici c'est pas possible, on te fout en taule si tu touches une fille de cet âge-là. Quand Mitori est sorti de prison, il est allé se cacher à Amiens et n'a plus mis les pieds à Nancy. Moi je sais tout, c'est pour ça qu'il a peur de moi, c'est pour ça qu'il m'a viré du groupe. Et la fille en question qu'il a déviergée, je veux dire la fille de cet avocat, elle n'est même pas belle ! Pas belle ! Laide comme un pou ! Si tu la voyais, tu vas te demander : mais comment une fille peut être aussi vilaine comme ça ? C'est vrai qu'elle a un bon derrière, que moi je ne dirais pas non si elle me donne ça gratuit. Je fermerais les yeux et je tirerais mon coup sans traces, mais vraiment est-ce que c'est à cause d'une fille de ce genre que moi Macchabée j'irais en prison pendant deux ans, hein ? Faut pas exagérer. Et puis la fille en question, elle est si noire qu'on ne voit que ses yeux et ses dents !

Je transpirais de plus en plus, j'étais ailleurs dans mes pensées, je ne l'écoutais plus. Je voulais rentrer, je savais que je ne ferais rien, que je ne dirais rien à Couleur d'origine.

J'ai payé l'addition et j'ai laissé un billet à Macchabée parce qu'il voulait rester encore un peu. Il a déchiré un bout de papier dans son carnet et a griffonné son numéro de téléphone. Je lui ai dit que je n'avais pas de numéro, que c'est moi qui l'appellerais. Je ne voulais pas qu'il tombe sur Couleur d'origine en me téléphonant.

– Merci grand frère, toi tu es vraiment quelqu'un !...

*

Une semaine après, j'ai appelé un soir Macchabée. Il me paraissait surexcité :

– Grand frère ! J'attendais ton coup de fil depuis des jours ! Pourquoi tu ne m'as pas appelé, hein ? Tu sais quoi, hier j'ai aperçu ce Mitori, il était avec la fille très noire et très laide dont je te parlais, je veux dire la fille de l'avocat de Nancy. Ils étaient à Château-Rouge, au restaurant Pauline Nzongo ! Moi qui croyais que leur histoire-là était terminée !

Et moi, comme un con, je gardais ce soir-là notre fille pendant que le cousin et la cousine mangeaient et se saoulaient la gueule dans un restaurant congolais de la rue de Suez…

Une fois L'Hybride est resté carrément plus d'un mois à Paris alors que son groupe n'avait aucun concert de prévu. C'est vrai qu'il ne dormait pas chez nous, mais je constatais que pendant cette période Couleur d'origine perdait la tête, s'endimanchait, s'absentait de plus en plus, revenait à la maison très tard. Mon cousin par-ci mon cousin par-là. Je ne rentre pas tôt ce soir, ne m'attends pas. Va prendre l'enfant chez la nounou capverdienne et donne-lui à manger à dix-neuf heures pile…

Au cours du même mois j'allais exploser lorsque j'ai trouvé L'Hybride confortablement installé dans le seul fauteuil de chez nous. Ce fauteuil c'était ma place, c'est moi qui l'avais acheté, c'est là que je regardais mes émissions sur les couples qui vont dans une île pour résister à la tentation de beaux hommes et de belles femmes. L'Hybride avait la télécommande à la main et regardait *Les Feux de l'amour*. Ma fille dormait à poings fermés, et lui il pleurait devant l'écran de la télé à cause de son feuilleton dans lequel il y avait une histoire d'amour et d'héritage avec des empoisonnements toutes les deux minutes et des dialogues niais. Il n'était vêtu que d'un short, dévorait mon saucisson à l'ail avec du manioc et du piment, avalait mes bières que j'avais achetées chez l'Arabe du coin. Il y avait des bouteilles vides tout autour de lui.

Je lui ai demandé ce qu'il foutait dans la capitale au lieu d'être avec ses collègues dans leur coin perdu du nord de la France. Il a répondu que tout leur groupe était à Paris pour un enregistrement d'un disque, que lui et les autres avaient décidé de rentrer au pays pour toujours. En attendant il en profitait pour garder Henriette quand Couleur d'origine allait au travail. En somme, il aidait sa cousine, et moi je devais lui être reconnaissant.

À ce train-là il habitait presque avec nous. Comment peut-on rester chez les gens du matin jusqu'à minuit ? Selon Couleur d'origine le cousin s'occupait bien de la petite. Je reconnais que quand il chantait des trucs à la fillette, elle lui tendait les bras, rigolait aux éclats. Elle s'habituait tellement à lui que lorsque je voulais la prendre dans mes bras pour lui chanter les trucs d'ici qu'on chante aux petits Français – du genre *Malbrough s'en va-t-en guerre* ou bien *Y a du bon tabac dans ma tabatière* –, elle chialait comme si une fourmi rouge l'avait piquée, elle voulait rester dans les bras de L'Hybride et n'écouter que les chants de chez nous. Et le type était heureux, me narguait…

Moi j'en avais marre à la fin. Je ne pouvais pas le dire à voix haute. Couleur d'origine vantait le talent du troubadour qui, encouragé, avait déposé deux de ses tam-tams chez nous au motif qu'Henriette aimait bien le son de cet instrument de nos ancêtres. Le dimanche après-midi il nous jouait ses conneries qui me donnaient des céphalées pendant que monsieur Hippocrate hurlait, nous demandait de retourner dans la brousse avec notre tam-tam de malheur.

– Les Nègres t'emmerdent ! s'égosillait Couleur d'origine.

*

Puisque L'Hybride se sentait chez lui, j'étais donc de trop, et Couleur d'origine me le faisait comprendre. Même qu'un après-midi j'ai surpris le troubadour vêtu de mon T-shirt Marithé & François Girbaud. Il le portait ostensiblement et s'était étendu dans le lit avec une Pelforth, la télé allumée sur son feuilleton d'amour, de beauté, de gloire, d'héritage et de dialogues niais.

Là il avait vraiment dépassé les limites de l'hospitalité même si c'était pas moi qui avais payé la caution du studio. Les dents serrées, je me suis murmuré : N'ai-je donc tant vécu que pour cette infamie ?

J'ai déversé ma colère sur lui. Il s'est défendu en disant que c'était Couleur d'origine qui lui avait filé mon habit, sinon lui il ne se serait pas permis de le porter. Et d'ailleurs, a-t-il rajouté, cet habit ressemble à une serpillière, y a des trous partout, on ne peut pas le porter dehors. Est-ce qu'il suivait la mode, celui-là ? Dire ça d'un habit signé

Marithé & François Girbaud ! Quel sacrilège ! Quelle ignorance ! On a failli en venir aux mains.

– Enlève-moi ce T-shirt en vitesse ! ai-je crié.

Il s'est levé, ses yeux ont viré au rouge, j'ai senti la colère qui gonflait son thorax. Il m'a prévenu que si je le touchais il m'en cuirait parce qu'il avait un gri-gri depuis sa naissance et que s'il me donnait un coup de tête je tomberais dans les pommes pendant vingt-quatre heures et demie :

– Si tu me touches, je t'envoie aux urgences de Lariboisière tout de suite d'un seul coup de tête ! Je ne veux pas de problème. Je ne me suis pas battu depuis longtemps, mais si tu veux mesurer la puissance de mon gri-gri du village Tsiaki, alors essaie seulement de toucher un seul de mes cheveux !

Comme je ne voulais pas tomber dans les pommes pendant vingt-quatre heures et demie et me retrouver aux urgences de Lariboisière, comme je savais qu'on ne badinait pas avec les gris-gris de Tsiaki je lui ai redemandé calmement d'enlever mon vêtement, de porter ses merdes à lui, j'ai conclu :

– Ce T-shirt il est à moi, ça coûte la peau des fesses, et pas n'importe quelles fesses, même pas celles de Couleur d'origine !

*

Un peu plus tard dans la soirée, avant de courir prendre le dernier métro, L'Hybride a répété mes propos à sa cousine qui m'a sermonné toute la nuit.

– Tu as critiqué mon derrière devant mon cousin ? Tu es qui, toi ? Mes fesses-là que tu insultes, est-ce que c'est pas elles qui t'ont bien fait tourner la tête le premier jour devant Le Vogue à l'âme, hein ? Tu en as déjà vu des comme ça dans ta vie, toi ? Tu sais combien de gens paieraient pour m'avoir, moi ? Est-ce que toi tu t'es regardé dans le miroir avant de parler aux gens ? Je te demande encore : tu es qui, toi, hein ? Tu ne fous rien dans cette maison, tu vas boire avec des voyous au Jip's, tu travailles à mi-temps, et c'est toi qui viens jouer le patron chez moi ?

L'Hybride n'est plus revenu à la maison et Couleur d'origine ne me parlait plus. Moi je me suis dit au moins qu'on s'était débarrassés du troubadour. Mais il y avait encore ses deux tam-tams chez nous, et ça m'agaçait. Quand je regardais vers ces instruments c'était comme si le cousin était là et que les ancêtres me parlaient, voire se moquaient de moi.

– Quand est-ce donc que ton cousin-là il viendra prendre ses trucs ? On n'a déjà pas de place dans cette pièce !

Cette question avait tout gâté. Couleur d'origine s'est transformée en tigresse blessée :

– Y en a marre ! Y en a marre ! Y en a marre ! Si tu ne quittes pas ce studio c'est moi qui partirai !

Elle rugissait tellement fort que monsieur Hippocrate a cogné à plusieurs reprises contre le mur.

– Silence, les nègres du Congo, sinon je vais appeler les flics !

Je n'ai plus tiré un seul coup avec elle depuis ce temps-là. Je dormais par terre, je mangeais dehors avec les potes du Jip's. J'allais passer du temps avec Louis-Philippe qui me répétait :

– Écris, écris ce que tu ressens…

Moi qui n'avais jamais ôté mon chapeau devant personne, si je m'étais fait tout petit devant une poupée qui ne disait plus maman quand je la touchais, c'était parce que je voulais assurer l'éducation de mon enfant pour qu'elle soit un jour une fille bien rangée. J'essayais de rattraper les choses, de mettre de l'eau dans mon vin de palme, de ne plus penser au récit de Macchabée au Sangho, d'ailleurs je ne l'appelais plus pour ne pas avoir à souffrir. Je voulais devenir un homme responsable, je voulais montrer à Couleur d'origine que je m'en foutais de son passé avec L'Hybride quand elle avait dix-sept ans.

Donc je me rendais qu'une ou deux fois seulement dans le parc avec ma machine à écrire alors qu'il y avait des bandes d'oiseaux qui s'agitaient dans les arbres et qui n'attendaient que moi.

Lorsque j'arrivais au Jip's je n'y restais que deux heures au maximum, j'avalais vite deux ou trois Pelforth et me laissais aller à mes pensées. J'imaginais L'Hybride quelques années auparavant avec Couleur d'origine quand il l'emmenait quelque part, peut-être dans une grange pour lui faire la chose-là. La pauvre elle était fragile, elle ne voulait peut-être pas entrer dans le monde des adultes à ce moment-là, ou alors le souhaitait-elle pour s'émanciper enfin de ses parents, surtout de cet avocat. En ce temps-là L'Hybride devait être encore plus petit de taille et transpirait déjà des aisselles. Et puis paf ! il a forcé les choses. Selon Paul du grand Congo qui buvait à mes côtés à ces heures de grande confusion, une fille n'oublie jamais son premier homme. Et hop, j'avalais une bière, j'effaçais ces images. Je prenais le métro à Étienne-Marcel pour regagner le nord de Paris en espérant que L'Hybride n'était pas revenu chez nous pour s'installer devant la télé et regarder ses histoires d'amour, d'héritage, de gloire et de beauté…

Paul du grand Congo avait tout de suite compris que ça bardait chez moi :

– Fessologue, tu peux toujours me parler à moi, tu connais ma discrétion. D'ailleurs, est-ce que tu m'as déjà entendu me moquer de toi comme les autres ici ? Je m'inquiète de plus en plus pour toi parce que tu n'es plus le type que j'ai connu avant, on dirait que tu ne dors plus. Tu arrives ici, tu prends juste deux ou trois Pelforth et tu rentres en courant chez toi comme si on t'avait fixé une heure qu'il ne faut pas dépasser même d'une seconde. Est-ce que c'est Couleur d'origine qui te mène la vie dure comme ça ?

Je répondais que tout allait bien, que j'étais un peu fatigué.

– Regarde-moi bien droit dans les yeux… Tu me mens… Oui, tu mens. Quand je te vois tu as les yeux tout rouges. Tu ne vas pas me dire que c'est à cause des histoires que tu écris avec ta machine à écrire ! Qu'est-ce qui ne va pas ?

*

J'ai su que L'Hybride avait discuté avec notre Arabe du coin et que le commerçant l'avait apprécié. Un soir quand je suis entré dans sa boutique pour acheter du lait et des Pelforth il m'a dit :

– L'Europe nous a trop longtemps gavés de mensonges et gonflés de pestilences ! Est-ce que tu sais quel poète noir a dit ces paroles courageuses, hein ? Mon frère africain, hier soir j'étais avec ton parent, je veux dire le cousin de ta femme, donc c'est aussi ton cousin. Je le voyais souvent sortir très tard de votre immeuble et courir vers le métro comme ces gens-là qui volent mes légumes dehors. Je me demandais bien qui c'était parce que, mine de rien, tu sais que je connais un peu tous ceux qui vivent là-dedans. Y a au total trois Noirs seulement : ta femme, ta fille et toi. Je ne compte pas l'Antillais parce que lui c'est un cas à part, un personnage bizarre qui croit qu'il n'est pas noir, qu'il n'a rien d'africain et qu'il est français de souche. Mais votre cousin-là, quel bonhomme ! Il ne parle pas très fort, et quand il t'écoute parler il croise les bras et remue la tête à chaque parole. C'est pas un signe de respect, ça ? Il est très éduqué comme type parce que l'éducation commence d'abord par l'écoute alors que l'Occident croit que c'est par la parole. Mon père il me disait souvent : « Djamal, celui qui écoute il est plus sage que celui qui parle… » Tu suis la logique ? Est-ce que tu sais que votre cousin-là il a déjà été en Algérie et au Maroc pour des concerts de musique africaine traditionnelle ? Tu connais des frères africains qui ont réussi des prouesses de ce genre ? C'est des échanges comme ça que nous on doit développer entre le Maghreb et l'Afrique noire ! On ne se connaît pas les uns les autres, c'est pour ça qu'il y a des cons qui rapportent qu'autrefois les Arabes ils ont mis en esclavage leurs frères africains noirs ! Est-ce que tu peux croire à des mensonges de ce genre ? Est-ce que moi j'ai la tête de celui dont les ancêtres ont été des esclavagistes ? Faut qu'on fasse attention à ce sujet, c'est pas pour rien que l'Occident ne s'attarde pas là-dessus. C'est un sujet sensible. Mais moi je dis aux Occidentaux que l'esclavage c'est une histoire de l'Occident, pas de nous autres les Arabes. On est tous des frères et on ne met pas en esclavage ses propres frères… Bref, c'est pour te dire que j'étais heureux quand votre cousin m'a appris qu'il a fait l'Algérie et le Maroc et qu'il a aimé ces pays-là ! Lui au moins il sait comment nous on vit là-bas. Il a vu chez nous ce que ça veut dire le respect. Il m'a dit qu'il veut se convertir à l'islam, c'est pas une bonne nouvelle, ça ? Il a tout compris, il veut suivre les traces de ces Noirs qui sont devenus musulmans, ces Noirs qui ont changé et continuent à changer le monde : Mohammed Ali, Malcolm X, Karim Abdul-Jabbar, Louis Farrakhan, etc. Est-ce que tu te rends compte que votre cousin il m'appelle « papa », hein ? J'avais les larmes aux yeux ! Pourquoi toi tu ne m'as jamais appelé « papa » alors qu'on se connaît depuis longtemps et que je pourrais être aussi ton père vu que je suis chauve et que j'ai des cheveux gris sur les côtés ? Si on avait dans ce pays un million d'immigrés comme votre cousin, on serait forts face à l'Occident. En plus il a du talent comme pas possible, c'est un chef d'un groupe musical traditionnel. Ce groupe il est très connu ! Parce que, entre nous, pour aller jouer en Algérie ou au Maroc il faut déjà être très connu dans le monde sinon les Algériens et les Marocains ne viendront jamais dans ton concert, je connais mon peuple. Votre cousin m'a aussi appris qu'il va rentrer définitivement au pays avec son groupe. C'est pas une attitude respectable ça ? Nous devons tous retourner chez nous pour qu'un jour l'Unité africaine du Guide Mouammar Kadhafi devienne une réalité. Le Guide a aussi dit comme le pasteur Luther King : « J'ai fait un rêve ! » C'est à nous de faire que son rêve se réalise, c'est pas les Occidentaux qui vont nous donner un coup de pouce, eux ils sont trop malins, ils ont créé leur Communauté européenne même s'ils ne s'entendent pas entre eux. Tu sais pourquoi ils ne s'entendent pas entre eux ? C'est parce que de leur monnaie unique les Anglais n'en veulent pas. C'est parce que les Danois et les Suédois ils s'en méfient, or s'ils veulent vraiment de cette monnaie pourquoi ils tournent en rond au lieu de prendre le train avec les autres pays, hein ? Et puis, mon frère africain, leur Communauté à eux pourquoi qu'elle n'accepte pas que la Turquie ait aussi une place dedans, hein ? Eh bien je vais te le dire, c'est parce que la Turquie quand tu la vois sur la carte, ce pays partage sa vie entre l'Europe et l'Asie, or le problème c'est que les Européens qui ont eu l'idée de leur Communauté ils sont tous contre la polygamie ! Qu'est-ce que les pauvres Turcs ils vont faire ? Changer leur pays de place ? Nous avec notre Communauté qu'on va créer grâce au Guide Kadhafi, si la Turquie elle veut rester polygame, eh bien elle pourra se joindre à nous, on lui ouvrira nos portes parce que la polygamie c'est pas un problème pour nous, c'est même un enrichissement ! C'est ça que je disais d'ailleurs à votre cousin-là, et lui il a tout compris de A à Z. Il est tellement modeste qu'il ne voulait pas me dire qu'il était un grand artiste qui fait la fierté de notre continent. C'est quand je lui ai demandé d'où venaient les sons de tam-tam que j'entends ces derniers temps dans votre immeuble qu'il a dit que c'est lui qui jouait du tam-tam pour bercer votre petite et l'habituer à l'environnement de l'Afrique ! C'est pas magnifique, ça ?

Le jour où Couleur d'origine est rentrée à la maison avec une nouvelle coiffure j'ai failli avoir un arrêt cardiaque. Elle avait des tresses vertes et blanches avec des cauris comme celles de Venus et Serena Williams qui jouaient alors à Roland-Garros. Non seulement cette coiffure était ridicule, elle montrait à quel point moi j'étais stupide et aveugle alors que Macchabée m'avait indirectement rendu service au Sangho.

J'ai dit à Couleur d'origine :

– C'est pour charmer ton cousin que tu es allée au salon de coiffure ?

– Pourquoi ?

– Parce qu'il faut bien que tu sois belle pour son concert ce week-end !

– Je ne t'ai pas parlé, je ne te parle plus ! Laisse-moi tranquille ! J'ai le droit de me tresser les cheveux comme je veux ! Est-ce que ma tête c'est ta tête ?

– Où tu as trouvé le fric ?

– C'est Nicole…

– Nicole ?

– Elle a accepté que je paie quand j'aurai un peu d'argent.

Nicole est une brave femme. Je la connais. Je lui dois du respect. Elle tient bien ses quatre salons de coiffure à Château-d'Eau. Elle avait décidé de se lancer dans cette activité il y a des lustres alors qu'elle était étudiante en médecine. Toujours est-il que mon orgueil de mâle avait pris un uppercut.

Le samedi je suis allé me saouler au rhum Barbancourt chez l'écrivain Louis-Philippe et j'ai décidé de faire un tour en plein cœur de Château-Rouge.

Même si le chiffre d'affaires du Vogue à l'âme se faisait le week-end – le magasin ne désemplissait pas du matin au soir –, le patron avait accepté que Couleur d'origine prenne ses samedis depuis la naissance de la petite. En principe elle restait souvent à la maison. Mais cette fois elle était pressée de sortir. Elle a préparé le biberon de la gamine et a écrit sur un bout de papier : « Henriette doit boire son biberon à dix-neuf heures pile. »

Elle s'est mirée pour la énième fois et est sortie sans rien me dire.

J'ai laissé passer une heure et je suis allé déposer Henriette à quelques mètres de notre Arabe du coin, chez la maman capverdienne qui débordait de gentillesse au point de nous donner de la nourriture alors qu'elle avait sept bouches à nourrir sous son toit. C'était à croire qu'elle cuisinait pour une tribu. Elle a pris la petite, m'a demandé où était passée Couleur d'origine. J'ai dit que j'allais la chercher à Château-Rouge où on avait rendez-vous.

– Tu es sûr que tu vas bien, mon fils ? a-t-elle insisté.

– Oui, tout va bien, maman…

*

Le rhum de Louis-Philippe était trop fort. Il m'a dit que c'est parce que j'avais rajouté trop de sucre dedans. En quittant son appartement j'ai marché les yeux baissés jusqu'à Château-Rouge parce que je ne maîtrisais presque plus mon centre de gravité. Lorsque je relevais la tête, j'avais l'impression que le ciel allait me tomber dessus.

Je suis entré dans Exotic Music, le magasin d'un ami qui vend des disques de chez nous. Il me montrait les nouveautés du grand Congo alors que lorsque je me rendais là c'était pour écouter les albums des années soixante-dix ou quatre-vingt. Il a mis *Liberté* de Franco Luambo Makiadi du Tout-Puissant OK Jazz. Cette chanson me touchait, je revoyais le pays, le concert de cet illustre musicien au bar Joli Soir de Pointe-Noire. Comme on était trop petits, les portiers ne nous laissaient pas entrer. Il fallait leur filer quelque chose. Moi je n'avais rien. Je grimpais alors sur un manguier et je m'agrippais à une branche pour apercevoir le grand Franco avec sa bedaine et sa guitare qu'il grattait avec virtuosité. Je voulais devenir gros comme lui, jouer de la guitare comme lui, remuer comme lui.

J'admirais ses musiciens qui portaient des chemises en soie et des pantalons moulants. Je ne quittais pas des yeux les couples qui envahissaient la piste. Ils transpiraient, les hommes serraient bien fort leurs cavalières, ceux qui n'en avaient pas patientaient dans un coin, le regard aussi triste qu'un chien victime de l'ingratitude de son maître.

Oui, cette chanson me jetait toujours dans une profonde tristesse. Le musicien proclamait sa liberté de faire ce que bon lui semblait :

Na koma libre ehhh
Na koma libre eh...
Liberté eh eh na lingi na sala oyomotem'
elingi mama mama...

Juste à la fin de la chanson je me suis dit que je devais rentrer. En me retournant mon sang n'a fait qu'un tour : Couleur d'origine entrait à Exotic Music avec L'Hybride bras dessus, bras dessous !

Je n'ai jamais vu un homme courir aussi vite. L'Hybride a manqué d'être écrasé par une automobile qui se garait devant le magasin de disques. Couleur d'origine s'est repliée chez une de ses anciennes amies nigérianes, et moi j'ai marché jusqu'aux Halles pour aller prendre un pot au Jip's. La bande des potes n'était pas là. Il n'y avait que Paul du grand Congo. Il somnolait devant son verre de Pelforth et répétait :

– Il n'y a pas que les fesses dans la vie, y a aussi les seins...

*

On n'avait pas évoqué une seule fois cet épisode d'Exotic Music. Je sentais pourtant que Couleur d'origine voulait qu'on en parle. Je n'avais plus le droit de prendre l'enfant dans mes bras. Couleur d'origine la laissait chez la maman capverdienne quand elle allait au travail et elle la récupérait elle-même le soir.

Et puis, un jour, de retour du Jip's aux alentours de minuit et demi, j'ai trouvé la porte de notre studio à moitié ouverte, la lumière allumée. Il n'y avait plus les deux tam-tams de L'Hybride. J'entendais l'écho de mes pas lorsque je marchais sur le plancher parce qu'il n'y avait plus aussi les affaires de Couleur d'origine et celles de la petite.

J'ai retrouvé dans les pages jaunes le numéro du cabinet du père de Couleur d'origine. Je me suis dit que j'appellerais le lendemain.

Quand j'ai eu l'avocat de Nancy au téléphone il m'a envoyé balader et m'a dit qu'il ne me connaissait pas et qu'il ne connaissait pas non plus la femme et l'enfant dont je parlais. Il m'a traité de voyou, de chenapan. J'ai repensé à l'histoire du ministre Doyen Mathusalem. J'étais aux yeux de l'avocat celui qui avait fait échouer le mariage qu'il avait prévu entre sa fille et l'ancien ministre, alors que c'est peut-être L'Hybride qui, à cette époque, avait foutu son plan en l'air.

Oui, je sentais qu'il m'avait pris pour L'Hybride parce que en raccrochant il a lâché :

– Artiste de merde ! Je t'enverrai une deuxième fois en prison !

*

Couleur d'origine ne m'a appelé que dix jours après sa disparition pour m'apprendre qu'elle était à Brazzaville. Elle me réclamait la pension alimentaire dont elle avait fixé elle-même le montant. J'en ai parlé à Paul du grand Congo parce que je me disais que Louis-Philippe était trop écrivain pour comprendre les choses qui se passent en dehors des livres et des oiseaux qui se posent sur les arbres des jardins publics.

Au Jip's, à ma grande surprise, c'est Roger Le Franco-Ivoirien qui m'a paru le plus réceptif. Il m'a dit que Couleur d'origine m'escroquait, qu'elle me faisait payer en fait le double de la pension comme si on avait eu des jumeaux. En plus, toujours d'après lui, qu'est-ce qui prouvait qu'Henriette était ma fille en dehors de nos orteils qui se ressemblaient ? Il me conseillait de payer quand même parce que c'était pas la faute à l'enfant si elle était venue au monde dans cette pagaille, mais il fallait négocier la somme au centime près. Je l'écoutais en regardant dans mon verre.

Willy m'a appris qu'il avait des amis au pays, des anciens bandits de grand chemin qui ont fait la guerre en Angola et au Cabinda et qui tuent pour un morceau de manioc ou pour une cigarette Marlboro Light, qu'il ne fallait pas que je laisse couler l'affaire, qu'avec un peu de pognon ses amis à lui pourraient casser la gueule à L'Hybride, kidnapper ma fille et me la ramener ici à Paris.

Yves L'Ivoirien tout court a repris ses salades sur la dette coloniale.

– Voilà où nous en sommes, Fessologue ! Qu'est-ce que je dis souvent ici ? Maintenant dis-moi ce que tu as gagné dans cette histoire ! Est-ce que tu as fait avancer notre cause ? La dette coloniale est toujours là à cause des gens comme toi !

Pierrot Le Blanc a dit qu'il connaissait quelqu'un qui connaissait quelqu'un qui connaissait l'avocat maître Vergès, que cet avocat gagnait toujours les procès, qu'il avait même défendu un chef de la Gestapo de Lyon qui avait organisé la déportation de quarante-quatre enfants juifs et torturé le résistant Jean Moulin. Donc je n'avais qu'à le consulter…

Je n'ai pas voulu entrer dans des polémiques judiciaires à n'en plus finir. Bien sûr que je pouvais me rendre à Brazzaville, régler cette histoire à coups de machette. Mais je ne suis pas de ce tempérament, moi. J'aime pas la guerre. J'aime pas l'affrontement. Et puis le pays me semblait loin ! Plus de quinze ans déjà que je l'avais quitté.

J'ai donc laissé tomber la voie de la justice ou de l'expédition punitive à la machette. Je paie la pension sans broncher. Je le fais pour ma fille.

Quand Couleur d'origine m'appelle depuis le pays c'est pour me rappeler que dans quinze jours ce sera la fin du mois et qu'il ne faudra pas que j'oublie de lui envoyer « sa » pension. Moi je lui raccroche au nez en lui criant que je ne suis pas un guichet automatique du Crédit agricole de Charente-Maritime-Deux-Sèvres, que ce n'est pas sa pension à elle.

Mais chaque mois je vais vers la porte de la Chapelle pour faire un Western Union. Je fais la queue avec les Maliens qui envoient tout leur argent chez eux et qui, paraît-il, construisent des villas là-bas pour préparer leur retraite…

III

Chaque fois que je m'assieds pour écrire – chez moi ou dans le jardin public de notre quartier –, je regarde longuement ma machine à écrire et je me dis que si je l'avais achetée c'était parce qu'à cette époque où on se chamaillait avec Couleur d'origine j'avais fait la connaissance de Louis-Philippe qui signait ses livres dans notre quartier, au Rideau rouge. Roger Le Franco-Ivoirien a donc tort de penser que j'ai commencé à griffonner ce journal à cause de mon ex et de L'Hybride. C'est vrai que ça a dû être un déclic, c'est vrai que les psychanalystes raconteraient des tonnes de choses à ce sujet, or c'est surtout à ma rencontre avec Louis-Philippe que je dois tout…

Je n'avais pas entendu parler de cet écrivain avant. Moi je suis un type très prudent avec nos contemporains, je ne lis que les morts, les vivants m'énervent, ils m'agacent. Quand tu les vois à la télé ils te font des discours sur ce qu'ils écrivent et ils sont satisfaits comme s'ils avaient trouvé la pierre philosophale après avoir résolu la quadrature du cercle ou rempli le tonneau des Danaïdes le doigt dans le nez. Alors que les morts – ça dépend de quels morts, je sais – ils ont fait leur œuvre, ils ont tiré leur révérence, ils reposent en paix dans des cimetières marins ou au pied des saules pleureurs, ils nous laissent dire ce qu'on veut sur ce qu'ils ont pondu parce qu'ils savent que tôt ou tard on sera obligés de les lire si on ne veut pas être traités de cancres par les beaux-parents au cours d'un dîner.

J'étais pas allé au Rideau rouge pour rencontrer Louis-Philippe, moi je passais par là par hasard, j'avais besoin de respirer un peu puisque Couleur d'origine me menait une guerre de Troie à cause de mon comportement à l'égard de L'Hybride le jour où il avait porté mon T-shirt Marithé & François Girbaud et que j'avais dit que cet habit était plus précieux que son derrière à elle.

Il y avait une foule devant cette librairie. Moi je croyais que les gens avaient souvent peur d'entrer dans une librairie au risque d'en ressortir avec un livre qu'ils ne liraient pas et de voir les personnages de cette œuvre les poursuivre dans leur sommeil pour les mettre devant leurs responsabilités.

Je suis donc entré par curiosité. Je me suis dit : tant pis si je ressors avec un livre que je ne lirai pas et que les personnages de ce livre-là ils viennent me harceler dans mon sommeil alors qu'on se connaît pas.

Quand Louis-Philippe a levé la tête entre deux signatures j'ai vu par son sourire qu'il était heureux de me voir là, sans doute parce que les écrivains, j'arrive jamais à les comprendre, ils sont tous pareils, ils donnent l'impression qu'ils connaissent même la date de naissance de ceux qui vont devenir leurs lecteurs.

Il m'a fait un clin d'œil, l'air de me dire qu'il m'avait vu, qu'il ne fallait pas que je m'échappe. Alors je tournais en rond entre les piles des livres. Il y avait des filles qui le dévoraient des yeux, et lui il exhibait son sourire le plus séducteur. Moi j'observais les derrières de ces lectrices, j'essayais de détecter si certaines d'entre elles étaient venues pour autre chose que se faire signer un livre. Louis-Philippe avait une blague pour chacune d'elles, il prenait le temps de trouver les mots qu'il griffonnait sur la première page du livre.

On entendait de loin sa voix grave :

– Quel est votre prénom, madame ?

– Mademoiselle ! corrigeait la lectrice.

La libraire a remarqué que mes yeux se braquaient trop sur la chute de reins de cette lectrice en face de Louis-Phillippe. Elle était un peu confuse et, pour la tirer de sa gêne, j'ai saisi le livre de Louis-Philippe, *Le Songe d'une photo d'enfance*, je suis passé à la caisse. Elle a voulu m'expliquer de quoi parlait le bouquin, moi j'étais ailleurs. Elle m'a encore surpris en train de dévorer la face B d'une brune très agitée qui était maintenant devant l'écrivain. J'essayais de savoir si son derrière était comme celui de Couleur d'origine ou si ce n'était qu'un derrière à vitesses manuelles. Et la brune tirait la conversation en longueur. On n'existait plus à ses yeux. Vu comment Louis-Philippe la considérait, je me suis dit : mon Dieu cette affaire va finir à l'horizontale dans un hôtel de la rue des Petites-Écuries.

Pour tuer le temps j'ai relu une fois de plus le titre du livre de Louis-Philippe que j'avais entre les mains. Je le trouvais doux, chaleureux : *Le Songe d'une photo d'enfance...*

*

Une demi-heure plus tard la brune était toujours là à raconter que son oncle de quatre-vingt-dix-huit ans et demi avait été en Haïti, qu'il avait adopté un jeune Haïtien qui travaille maintenant à La Poste, à Nantes, qu'il avait aussi aidé plusieurs Haïtiens à fuir le régime de Papa Doc, puis de Bébé Doc, qu'il avait été initié par les grands praticiens du vaudou, qu'il avait des peintures naïves des artistes de Pétionville, que son livre préféré à lui c'était *Pays sans chapeau* de Dany Laferrière parce que dedans il y a l'âme d'Haïti, il y a des proverbes à gauche et à droite, il y a des gens dans la rue qui sont en fait des zombies et tout le reste. Le vieil oncle en question il aurait rencontré en personne l'auteur du *Pays sans chapeau*, un type génial et plein d'humour qui n'a jamais su s'il fallait habiter à Miami ou à Montréal. Louis-Philippe ne voulait surtout pas que la brune croie qu'il était gêné parce qu'elle vantait les mérites d'un autre Haïtien alors que lui il était là pour signer ses livres à lui.

Il a eu un sourire jaune et a dit :

– Dany Laferrière est un grand ami ! Je vous conseille aussi de lire un de ses livres que j'aime bien, *Le Goût des jeunes filles*…

Une rousse est venue couper court à cette discussion. Elle a jeté un œil rouge sanguin sur la brune qui a compris qu'elle devait déguerpir séance tenante. La brune est sortie de la librairie en grommelant, mais avec un livre de Dany Laferrière et pas un seul de Louis-Philippe.

La rousse était plus directe, elle. Elle a pris un tabouret, s'est assise en face de l'auteur à qui elle a dit qu'elle dormait avec certains de ses livres, surtout avec *Le Crayon du bon Dieu n'a pas de gomme*. Même qu'elle avait l'impression que lui il les écrivait pour elle, qu'elle était un de ses personnages.

– Moi je veux une vraie dédicace, pas du genre « Avec les hommages de l'auteur » ! Je veux une dédicace rien que pour moi. C'est un livre que je lirai tous les soirs avant de m'endormir même s'il y a un mec à côté…

Louis-Philippe a levé les yeux vers le plafond puis a écrit quelque chose. Il a tendu par la suite le livre à la rousse qui a aussitôt lu la dédicace. Elle a rougi, a fait la bise à l'auteur et est sortie du Rideau rouge en le saluant d'un air complice.

Moi je braquais sa face B et me disais : celle-là c'est un volcan endormi !

*

Après avoir dit au revoir à la libraire, Louis-Philippe est venu vers moi. J'avais son bouquin sous l'aisselle. Il m'a appelé « vieux frère ».

Quand je lui ai dit que j'habitais dans les parages il a presque sauté au plafond :

– On est voisins alors ! Je n'habite pas loin ! On va s'échanger les numéros de téléphone ! Passe à la maison quand tu veux, je te ferai goûter un rhum de chez moi, le Barbancourt !

On est sortis de la librairie, on a emprunté la rue Riquet et on s'est attablés au Roi du café. Comme je donnais le dos sur la rue Marx-Dormoy je pouvais lire dans ses yeux les notes qu'il accordait à chaque derrière d'une fille qui traversait l'artère. On ne parlait que de ça, de différentes sortes de faces B. Et lui il en rigolait.

Ce soir-là je suis rentré le cœur léger sans me préoccuper de monsieur Hippocrate qui me guettait. L'Hybride était parti plus tôt, je n'ai pas voulu savoir pourquoi. Je me suis mis à lire même si Couleur d'origine se plaignait que la lumière allait réveiller la petite. Moi j'étais loin, je n'étais plus dans ce studio. Plus rien n'existait autour de moi. J'imaginais l'île de Louis-Philippe, Haïti. J'étais le petit personnage de cette ville de Port-au-Prince qu'il avait rebaptisée Port-aux-Crasses. Elle avait le visage de Pointe-Noire, chez moi. Les gens me ressemblaient. Je soulignais tout. J'étais émerveillé devant cette langue pleine de poésie.

J'ai appelé Louis-Philippe le lendemain. Je suis allé chez lui, j'ai enfin bu pour la première fois le Barbancourt. J'admirais sa bibliothèque, je feuilletais chacun des livres qu'il avait publiés. Lui se moquait un peu de mon accoutrement.

– Est-ce que les Congolais s'habillent toujours comme ça ?

Le lendemain je suis allé acheter une machine à écrire à la porte de Vincennes parce que moi j'aime pas les ordinateurs, parce que je voulais faire comme les vrais écrivains qui déchiraient les pages, les raturaient, s'interrompaient pour changer le ruban de leur machine…

*

Lorsque Couleur d'origine m'embêtait parce que je passais trop de temps à écrire, que je traînais au Jip's ou que je travaillais désormais à mi-temps à l'imprimerie, je me levais, j'emportais ma machine à écrire et allais faire un tour dans le parc. Je m'asseyais sur un banc sous un lampadaire avec des clochards qui sifflaient des bouteilles de rouge, j'écrivais sans m'arrêter.

Je crois que je frappais trop fort sur les touches de la machine parce que même les clochards me regardaient d'un œil bizarre, l'air de dire que je pétais les plombs et que j'allais bientôt rejoindre leur assemblée. Moi j'écrivais, j'écrivais encore et encore. Lorsque je voyais un oiseau bouger sur une branche, je le notais. Quand il s'envolait pour changer d'arbre, je le notais aussi parce que Louis-Philippe qui en savait des choses sur l'inspiration m'avait prévenu que les écrivains notaient tout et ils faisaient par la suite l'inventaire de leurs notes pour ne garder que l'essentiel. Grâce à lui je lisais maintenant comme un rat de bibliothèque, je lisais pas que les morts, je lisais aussi les vivants, je voulais vraiment devenir un écrivain du genre Georges Simenon dont les aventures du commissaire Maigret ont fait le tour du monde. Et puis je me suis rendu compte que je ne pouvais écrire que sur ce que je vivais, sur ce qu'il y avait autour de moi, avec le même désordre…

Si j'ai eu plusieurs aventures juste un mois après le départ de Couleur d'origine c'est que j'étais très en colère et que je voulais me venger. Je ne suis pas du genre à attendre que le plat de la vengeance se refroidisse pour le manger. J'aime pas le baratin biblique du genre quand on te gifle il faut tendre l'autre joue. Le taureau je le prends par les cornes.

Je chassais donc dans les boîtes de nuit de la communauté ou dans les concerts de Koffi Olomidé ou de Papa Wemba. Hélas je broyais du noir, je revenais bredouille, c'était comme si j'avais perdu mon charme, et je me demandais où étaient passées les neiges d'antan. J'étais presque devenu un homme du passé. Des vauriens nouaient mieux la cravate que moi, et ils étaient plus entreprenants. J'avais le sentiment que mon malheur se lisait sur mon front ou que Couleur d'origine m'avait jeté un sort.

Et puis ça a fini par mordre un soir à la discothèque Le Cœur samba, dans le VIIIe arrondissement. C'est là-bas que j'ai croisé Rose. La fille était arrivée du Congo un mois plus tôt, on ne pouvait pas se tromper vu comment elle dansait sur la piste on aurait dit un être qui, au lieu de descendre du singe comme tout le monde, y retournait irrémédiablement. Elle sautillait, écartait les bras et les jambes avant de retomber à même le sol. À la fin elle transpirait tellement que ça me répugnait de voir des auréoles sur sa chemise blanche. Quelques compatriotes lui couraient après, elle jouait la dure, les entraînait dans un coin puis revenait danser devant moi. C'était que du cinéma, moi j'avais compris qu'elle était disponible, que c'est moi qu'elle aguichait avec cette danse de l'homme des cavernes en train de chasser le mammouth à la lance.

Je me suis dit : qu'est-ce que j'ai à perdre, moi, à me faire un peu plaisir ce soir, hein ? C'est une provocation, je dois me défendre, la meilleure défense c'est l'attaque.

Je me suis levé, j'ai essayé de danser à quelques centimètres d'elle en imitant sa gestuelle préhistorique. Je lui ai tendu la main, elle m'a tourné le dos, question de prouver qu'elle n'était pas une fille facile.

Je me suis rassis, je n'avais pas que ça à faire, plutôt crever que de la suivre dans ses gesticulations et ses caprices.

Ma stratégie de repli a payé, Rose est venue vers moi :

– C'est comme ça qu'on drague à Paris ? La fille fait un petit caprice et on repart s'asseoir sans combattre ? Allez, viens danser le tchakoulibonda !

Elle a constaté que je ne connaissais pas cette danse. Il fallait remuer les épaules, attraper la cavalière par la taille, simuler une pénétration violente par la face B. Il paraît que la danse faisait fureur au pays. Je n'ai jamais été aussi ridicule dans ma vie. Toute la discothèque me regardait et j'ai cru entendre des gens qui se tordaient de rire.

Vers les coups de deux heures du matin j'ai proposé à Rose qu'on aille prendre un dernier verre chez moi.

– Arrête ton baratin, tu veux tirer ton coup, ça se voit ! Je ne suis plus une petite fille, j'ai un enfant de seize ans au pays !

Je pensais que c'était foutu pour de bon, mais elle est allée prendre son sac que gardait son cousin. Je l'ai entendue dire à celui-ci :

– Je ne rentre pas ce soir, ne t'inquiète pas, ce type avec qui je pars c'est un grand frère. Il est un peu mou, c'est pas lui qui me causera des pépins.

On a pris un taxi non loin du Fouquet's. Pendant qu'on traversait la ville, je ne disais rien, elle non plus. Moi je revoyais Couleur d'origine, je me demandais ce qu'elle était en train de faire à cette même heure au pays avec L'Hybride.

Le taxi nous a déposés devant le bazar de l'Arabe du coin qui était fermé à cette heure-là.

J'ai ouvert la porte de mon studio en priant que monsieur Hippocrate ne se réveille pas.

Rose est restée plantée au seuil de la porte.

– Tu n'allumes pas la lumière ?

– On n'en a pas besoin, entre, j'ai répondu.

– On se connaît pas bien, je veux pas rester dans l'obscurité comme ça avec un étranger, j'ai entendu beaucoup d'histoires bizarres…

Elle a appuyé sur l'interrupteur et la lumière nous a éblouis. Je l'ai regardée de plus près et je me suis demandé si c'était la même fille de tout à l'heure. Au Cœur samba je la voyais toute fraîche, la peau aussi douce que celle d'un nourrisson. Et puis, dans cette lumière violette de la discothèque son pagne moulait bien sa face B. Or je n'avais pas remarqué qu'elle se décapait la peau, que ses cheveux et ses ongles étaient des faux.

– Éteins la lumière s'il te plaît, ai-je dit.

– Comment tu vas savoir que je suis belle s'il n'y a pas de lumière ?

On a donc laissé la lumière. Elle s'est vite déshabillée. Je n'ai pas voulu poser trop longtemps mes yeux sur ses seins mitraillés de vergetures comme les balafres qu'on trouve sur les visages des Téké de chez nous.

Je me suis allongé à mon tour dans le lit en laissant un grand espace entre elle et moi, et je regardais le plafond.

– On démarre quand ? On dirait que tu n'es plus chaud… Viens sur moi !

J'ai commencé à la toucher.

– Non, non, non, ne me fais pas les caresses, je ne suis pas une Blanche ! Ça ne m'excite pas, ça me fait rigoler et ça m'énerve à la fin…

Quand elle a dit ça, ma chose-là ne voulait plus se lever, elle s'est bien contractée dans mes bourses et je ne voyais pas quel événement extraordinaire pouvait la sortir de sa réserve.

Rose m'a demandé s'il y avait un problème.

– Non, ça va, ça va…

– Alors, on attend quoi ?

– On dort, on fera ça demain, c'est mieux.

– Quoi ? Y aura pas de demain avec moi ! Jamais de la vie ! Tu me prends pour qui ? Tu m'as excitée au Cœur samba et maintenant tu veux me laisser comme ça ? Pourquoi tu m'as emmenée chez toi si tu n'étais pas capable d'assurer jusqu'au bout ? Est-ce que tu sais combien de gens voulaient faire ça avec moi aujourd'hui, des gens que j'ai envoyés balader parce que je voulais que ça soit toi, hein ?

– Écoute, je ne suis pas en forme, je ne vais pas forcer les choses !

– Quelle forme il te faut ? Un homme normal quand il voit une femme nue ça démarre tout de suite ! Tu es un homme ou pas ? Laisse-moi donc toucher ta chose-là, l'inspiration viendra petit à petit, tu vas voir…

– Non !

– C'est à moi que tu dis NON ???

Elle a sauté du lit comme une tigresse blessée. Elle s'est rhabillée aussi vite qu'elle s'était dévêtue.

– Imbécile ! Couillon ! Des embrouilleurs de ton espèce je croyais qu'ils n'existaient qu'au pays, pas à Paris. Tu étais bien habillé en costume-cravate et tu es incapable de bien secouer une fille. Ta chose-là elle sert à quoi ? À pisser seulement ?

Pauvre con ! Donne-moi mon argent pour le taxi sinon je vais tout casser ici et crier sur le palier !

Je me suis levé pour tirer un billet de la poche de ma veste. Je le lui ai tendu, elle l'a arraché en me crachant sur le visage.

– C'est pour que tu te souviennes de moi ! Je m'appelle Rose, et je répète que tu n'es qu'un pauvre con, je ne sais pas quel type de femmes sort avec un gars comme toi !

Elle a claqué la porte. Monsieur Hippocrate n'a pas cogné contre le mur, heureusement…

*

Je repense aussi à ce jour où, avec Vladimir le Camerounais aux cigares les plus longs de France et de Navarre, on a joué aux princes à L'Atlantis, une discothèque du XIIIe arrondissement au quai d'Austerlitz. C'est le fief du Camerounais, on l'accueille là-bas en grande pompe, et il a le droit de fumer ses cigares dedans. Du coup moi aussi je pouvais jouer à l'habitué. Comme Vladimir ne fait jamais les choses à moitié, ce soir-là on avait loué une Mercedes et une BMW.

Une fois qu'on nous avait installés dans le coin VIP, Vladimir a ramené une fille longue et mince comme un balai et m'a soufflé à l'oreille :

– Cette fille est une fille à papa, je veux que tu la chicotes bien comme il faut ce soir ! Bois du gin tonic, tu seras debout jusqu'à l'aube et, crois-moi, la fille ne l'oubliera pas…

Gwendoline était la fille d'un ministre gabonais. Dès qu'on nous a présentés elle a commencé à parler des résidences secondaires de son papa, de ses voyages à elle à travers le monde. Y a pas un coin de la Terre où elle n'avait pas mis les pieds, disait-elle.

– Chez mon père je ne touche à rien, même pas une assiette, on me sert, j'ai un chauffeur, la coiffeuse se déplace avec ses six assistantes jusqu'à notre résidence.

Vladimir m'avait donc abandonné entre les griffes de cette fille à papa. Elle me donnait envie d'éternuer avec son parfum qui sentait le Mananas qu'on utilise chez nous sur les cadavres. J'apercevais de loin les clins d'œil de mon pote entre les volutes de la fumée de son cigare. Je ne pouvais plus interrompre Gwendoline. Je la laissais épuiser l'inventaire du patrimoine de son paternel. J'ai même su quel type d'assiettes et de fourchettes ils ont chez eux. Elle s'est tue comme elle voyait que je n'étais pas impressionné.

– Tu n'es pas bavard, mon gars. Tu ne m'as pas dit ton nom…

– Fessologue.

– Pardon ?

– Mes amis m'appellent Fessologue…

Elle a failli avaler un glaçon gros comme une balle de ping-pong.

– Tu plaisantes ou quoi ? Bon, je vais t'appeler comme eux t'appellent ! Vladimir m'a dit que tu n'es pas n'importe qui. Il paraît que la Mercedes

Kompressor décapotable qui est devant la boîte de nuit c'est à toi ?

Je ne lui ai pas dit qu'on l'avait louée, cette bagnole. Je jouais plutôt au propriétaire. J'agitais les clés en sifflotant *Anotherday in paradise* de Phil Collins. Je fumais un cigare Cohiba et dessinais des cercles au-dessus de ma tête avec la fumée.

Elle m'a demandé ce que je faisais dans la vie.

– Homme d'affaires…

– Ah bon ? Quelles affaires alors ?

– Je vends des diamants aux bijoutiers de la place Vendôme. En clair, je vends l'éternité puisque les diamants sont éternels…

– Ma mère adore les diamants !

J'avais marqué un point. Durant les morceaux de zouk love, je la sentais agrippée à moi comme une sangsue. Jamais je ne m'étais autant fait allumer. J'en avais assez à la fin, je voulais entretemps tourner autour de deux ou trois autres filles hautes comme des échassiers et qui me faisaient des appels de phares répétés de l'autre côté de la piste de danse. Rien à faire, Gwendoline avait trouvé son diamantaire et n'allait pas le lâcher.

– Les diamants ! Et tu vends de l'or aussi ?

– De temps en temps. Mais honnêtement, l'or c'est pour les gagne-petit. C'est pas comme le diamant qui est éternel. Et puis, même si les gens disent que tout ce qui brille n'est pas de l'or, ils pensent le contraire et vont toujours vers ce qui brille. Le diamant ne brille pas, il diffuse de l'éclat, c'est pour ça que c'est réservé à des connaisseurs…

– Tu es un beau parleur, toi ! Je ne suis pas en train d'acheter un diamant maintenant ! Mais puisque tu es du métier, tu vas enfin tout m'expliquer parce que moi j'ai jamais compris ces histoires de vingt-quatre carats dont tout le monde parle et que personne ne…

– On est là pour s'amuser… Si ça continue je vais te vendre un diamant ce soir, et ça risque de te coûter très cher !

J'avais envie de souffler, mais elle était derrière moi, elle me regardait comme un dieu. Elle jalousait du regard les Congolaises qui me reconnaissaient. Moi je mettais de l'huile sur le feu. Je repérais des connaissances, me lançais dans de longues conversations pour lui montrer que j'étais dans mon sérail. Jalouse, Gwendoline venait me tirer de mon petit monde comme si on se connaissait depuis des pleines lunes. Même quand on dansait enlacés, j'avais droit à la biographie express de « monsieur le Ministre » et de son irrésistible ascension.

Elle insistait :

– Mon père ? C'est un grand juriste, le plus grand juriste africain ! Il est respecté par les Blancs ! Il a fait ses études à l'époque où dans les universités françaises les Noirs se comptaient sur les doigts d'une main. Bien sûr qu'il y avait des Noirs en France, mais c'étaient des balayeurs, des manutentionnaires, des jardiniers, des dockers à

Marseille ou au Havre, des ouvriers de la Simca, de Peugeot, de Citroën ou de Renault…

J'acquiesçais, ce qui l'encourageait.

– Mon père ? Il faut que tu le rencontres pour comprendre quel homme d'exception il est ! Il m'a payé des études dans les grandes écoles de ce pays. Je ne peux pas aimer un homme plus que lui ! Il est tout pour moi. Il a connu Pompidou, il a connu les députés français noirs de l'époque, les Senghor, les Boigny et autres qui allaient devenir des présidents dans leur pays. Mon père il a été tellement brillant qu'on l'a tout de suite bombardé ministre, et ça fait plus de vingt-cinq ans qu'il est au gouvernement. C'est le seul ministre que le président ne peut pas virer parce qu'il a tous les dossiers chauds du pays. Et s'il sort ces dossiers, même le gouvernement français va tomber en moins de cinq minutes !

Ce qu'elle ignorait c'était que comme la plupart des Africains qui suivaient un peu l'actualité politique du continent, je savais que monsieur le grand juriste avait été nommé ministre de la Justice pour une mission précise : modifier la Constitution du pays chaque fois que le président dictateur le lui demanderait. C'est lui qui a écrit la Constitution de son pays d'une seule traite parce que l'obsession de leur président c'était de dépasser la Constitution de la Ve République française. Selon ce chef d'État, de Gaulle que tout le monde applaudissait en Afrique avait foiré sa Constitution, et les Français en avaient profité pour lui manquer de politesse à la fin des années soixante ! Monsieur le grand juriste a eu l'idée originale de donner tous les pouvoirs au président de la République. Celui-ci se retrouve en même temps Premier ministre, président du Conseil des ministres, ministre de la Défense, ministre de l'Intérieur, ministre des Finances et surtout ministre du Pétrole et des Hydrocarbures.

Lorsque Gwendoline vantait les villas et le parc automobile de papa, je l'écoutais d'une oreille, me disant que l'heure finirait par sonner, que je la ferais taire et qu'on passerait enfin aux choses sérieuses. Elle ne serait plus la fille du ministre, la passionnée de belles voitures et de voyages. Elle serait une fille nue en face d'un homme nu, et là, tous les êtres humains sont à armes égales…

Avec le recul je me dis que l'important c'est que j'avais bien embarqué la Gwendoline dans la voiture et que nous avions dormi au cinquième étage du Novotel de la porte de Bagnolet, dans une suite. Comme j'avais prétexté que j'avais oublié ma carte bancaire dans la voiture même si j'aimais pas ce moyen de paiement, c'est elle qui a garanti la chambre.

– Demain, après le déjeuner, j'irai retirer de l'argent dans un distributeur automatique, lui ai-je promis.

La fille du ministre se perdait dans les salles de bains, buvait du champagne en poussant des rires idiots devant la télévision qui diffusait une émission sur la copulation laborieuse des rhinocéros du Zimbabwe.

Elle a relancé sa question sur les vingt-quatre carats. Je lui ai expliqué que le carat était la quantité d'or contenue dans un alliage et que cette quantité s'exprimait en vingt-quatrième de la masse totale. Elle m'a regardé avec de gros yeux. Moi je savais qu'on ne se reverrait plus jamais. Parce que je n'aimais pas son derrière qui remuait d'un seul côté. Parce que ses discours sur son paternel allaient me pourrir l'existence…

À cinq heures du matin, alors qu'elle dormait profondément, je suis sorti de l'hôtel sur la pointe des pieds. Je me suis dit qu'elle n'aurait qu'à appeler son père pour qu'il règle l'addition de la suite depuis Libreville…

Je rends toujours visite à Louis-Philippe parce que ça me change un peu de ma bande du Jip's. Il faut d'ailleurs que je lui remette sa *Trilogie sale de La Havane*, je l'ai avec moi depuis un bon bout de temps. Lui c'est vraiment un écrivain, et il n'y a pas que les habitués du Rideau rouge qui aiment ce qu'il écrit. Je lui ai fait lire une bonne partie de ce que j'ai écrit jusqu'à présent. Il m'a dit que ce n'est pas encore ça, que je dois savoir organiser mes idées au lieu d'écrire sous l'impulsion de la colère et de l'aigreur :

– On n'écrit pas par revanche, ta colère doit être maîtrisée, contenue pour que ta prose coule d'elle-même. Au fond, je reste convaincu que tu aimais vraiment Couleur d'origine, et tu l'aimes toujours, n'est-ce pas ?

Je suis demeuré sans voix. Je l'ai regardé un moment, lui qui était si loin de son île, lui qui avait quitté les siens depuis des années. Je me suis demandé pourquoi les Haïtiens sont soit écrivains de génie soit chauffeurs de taxi à vie à New York ou à

Miami. Et quand ils sont écrivains ils sont en exil. Est-ce qu'un écrivain doit toujours vivre dans un autre pays, et de préférence être contraint d'y vivre pour avoir des choses à écrire et permettre aux autres d'analyser l'influence de l'exil dans son écriture ? Pourquoi Louis-Philippe ne vit pas à New York ou à Miami ?

Je lui ai parfois chanté *Armstrong*, la chanson dans laquelle un célèbre musicien de Toulouse avait presque le même problème d'inspiration que moi, sauf que lui c'était une histoire de couleur :

Armstrong, je ne suis pas noir
Je suis blanc de peau
Quand on veut chanter l'espoir
Quel manque de pot
Oui, j'ai beau voir le ciel, l'oiseau
Rien, rien, rien ne luit là-haut
Je suis blanc de peau

Louis-Philippe me dit que sans le mal du pays rien ne sort même si on voit des oiseaux qui s'agitent dans les branches. Or moi aussi je suis loin de mon pays, je me sens en exil, est-ce que je vais passer ma vie à pleurer sur ça ? Ces écrivains haïtiens sont donc comme des oiseaux pourchassés. Chez eux on dit qu'il y a eu plus de trente-deux coups d'État et aucun pays au monde n'a encore égalé ce record. À chaque coup d'État des myriades d'écrivains ont émigré. Ils ont tout laissé chez eux, ils ne sont partis qu'avec leurs manuscrits et leur permis de conduire. J'aurais voulu naître haïtien afin d'être un écrivain en exil, de comprendre le chant de l'oiseau migrateur, mais je n'ai pas de manuscrits, je n'ai pas de permis de conduire pour, au pire, devenir chauffeur de taxi dans les rues de Paris…

*

Quand Louis-Philippe évoque son pays, il a les yeux tout humides d'émotion. Moi j'ai des idées reçues, des clichés en noir et blanc, en couleurs aussi. Il y a du négatif, il y a du positif. Lorsqu'il me raconte que leur pays était la première République noire, j'applaudis, je me sens fier comme un Toussaint Louverture peint par Édouard Duval-Carrié, l'artiste haïtien le plus coté de Miami. J'arrête d'applaudir lorsque Louis-Philippe me parle des tontons macoutes et compagnie. Je crie aïe, aïe, aïe, papa Duvalier et fils ? Tonton Aristide pas du tout catholique ?

J'ai appris à Louis-Philippe qu'au Congo on connaît quelques airs de son pays natal, qu'on a grandi dans cette musique. Il y avait dans tous nos bars la voix de Coupé Cloué, leur musicien à eux qui disait « Allez-vous-en » dans sa chanson. Et quand on entendait « Allez-vous-en », c'était que l'aube était là et que le bar allait fermer. Il y avait pourtant ces derniers cavaliers qui s'ingéniaient à ne pas obéir à Coupé Cloué alors qu'il leur disait à plusieurs reprises « Allez-vous-en ! Allez-vous-en ! Allez-vous-en ». Coupé Cloué c'est un peu le Manu Dibango haïtien, même tête nue, même sourire jusqu'aux oreilles.

J'ai aussi écouté les rythmes de leur groupe Skah Shah de New York avec la voix de Jean Eli Telfort parce que je suis quand même un type ouvert et attentif à l'usage du monde. J'ai apprécié la chanson *Camionnette* de Claudette et Ti Pierre, et quand j'entendais ce tube, eh bien c'est qu'il y avait un enterrement ou un retrait de deuil dans notre quartier, parfois même un mariage parce que chez nous on est comme ça, dans la vie ou dans la mort, on danse au même rythme pour les funérailles, pour les mariages, pour les divorces ou pour les autres joies et tracasseries de la vie quotidienne. Il y a de la joie dans la peine, c'est comme ça dans mon petit pays…

*

Je me souviendrai encore longtemps combien je me suis senti coupable de n'avoir pas su danser le kompa haïtien comme il faut. C'était pourtant pas sorcier cette danse, il suffisait d'attraper sa cavalière par les hanches, de lui faire du compas comme on le faisait en géométrie à l'école primaire, c'est tout. Mais c'était simple à dire et difficile sur le terrain. Et d'ailleurs, j'ai avoué à Louis-Philippe que je m'étais excusé devant la seule Haïtienne de notre quartier Trois-Cents. Cette femme était hébétée de voir qu'un nègre du Congo ne savait pas danser le kompa alors qu'on crie sur tous les toits que les musiques noires viennent d'Afrique et que ça ne sert à rien que les Africains apprennent à danser, ça vient tout seul dès que la musique s'emballe. Et cette Haïtienne s'appelait Mirabelle. Elle a dit qu'elle allait m'apprendre les bases de cette danse. J'ai dit chouette je vais enfin danser le kompa.

Mirabelle avait une face B énorme et ferme, c'était facile de s'agripper dessus, de se laisser porter dans la position d'un bébé kangourou enfoui dans la poche de sa mère.

Elle me disait :

– Mon petit, accroche-toi bien sinon tu vas tomber quand ça va chauffer. N'hésite pas, ne te retiens pas. Si tu sens quelque chose qui se lève entre tes jambes, n'aie pas honte, c'est normal, ça veut dire que tu commences à maîtriser le kompa.

Donc je l'ai bien serrée pour mieux me frotter contre elle. Or moi je dansais la rumba congolaise et ça l'agaçait.

Elle s'est écriée :

– Y a pas que la rumba congolaise dans la vie, il y a le kompa aussi.

Et moi j'ai répondu :

– On n'apprend pas une danse le même jour...

– Danse-moi ce kompa au lieu de bavarder ! Serre-moi bien fort dans la position verticale, fais comme si tu montais et descendais en effleurant légèrement ma poitrine. Fais gaffe quand même, ne m'écrase pas les seins !

Et puis elle a dit que je devais aller un peu plus vite que ça, que je devais l'enlacer, coller mon visage contre le sien. Je m'y suis mis, je suais, elle suait, on tournait, on bousculait les autres danseurs, on allait vers le mur, puis dans un coin sombre où elle en profitait pour fourrer sa main entre mes jambes et m'annoncer avec un large sourire :

– Je vois que tu maîtrises maintenant le kompa ! Je ne savais pas que tu apprenais aussi vite ! Il y a quelque chose qui durcit entre tes jambes…

J'ai au moins sauvé la face ce jour-là. Or je ne danse toujours pas comme il faut le kompa car je marche encore sur les orteils de mes cavalières – surtout les Haïtiennes de Pétionville…

*

Comme moi, Louis-Philippe a aussi une moustache. Il porte des lunettes de myopie, pas moi, ce qui est aussi normal parce qu'il a lu plus de livres que Roger Le Franco-Ivoirien, surtout des auteurs de l'Amérique latine. En plus il soutient qu'un écrivain doit porter des lunettes de myopie pour qu'on sente qu'il travaille, qu'il ne fait que ça, qu'il sue, les gens ne croient pas que toi tu es écrivain si tu n'as pas de lunettes de myopie. Qu'on ne s'étonne donc pas si je porte maintenant des lunettes claires pour qu'on s'imagine que je suis myope.

Le jour où il m'a vu avec ces lunettes, il a ricané :

– C'est vrai que je t'ai dit en blaguant qu'il fallait avoir des lunettes pour coller à l'image que le public se fait de l'écrivain, mais tu n'étais pas obligé d'aller acheter les plus chères à la rue du Faubourg-Saint-Honoré !

Quand je débarque chez lui, il s'empresse de me montrer les dernières peintures naïves haïtiennes qu'il a ramenées de son île. Et nous parlons de tout. Je dis du mal de monsieur Hippocrate. Je précise que je voudrais déménager de cet immeuble qui a gâché mon existence.

Louis-Philippe pense que je devrais de temps à autre chercher le dialogue avec monsieur Hippocrate maintenant que Couleur d'origine n'est plus là.

– Monsieur Hippocrate est un être désespéré, c'est quelqu'un qui ne demande qu'à te tendre la main, mais il s'y prend très mal, surtout avec toi. Essaie de le rassurer, de faire de lui un ami avec qui tu discuteras. N'oublie pas que c'est un frère de couleur même s'il ne le sait pas…

Mes potes du Jip's savent que je suis un homme prudent. Je ne dépense que ce que j'ai et je n'envie pas ce que les autres possèdent. Je ne veux avoir de comptes à rendre à personne. Je ne me laisse pas tenter par cette société de consommation. Donc j'aime pas les crédits revolving ou pas revolving, les cartes bancaires à mensualités différées ou pas différées, les découverts bancaires qui font semblant de ne piocher que des centimes alors que plus il y a des centimes qui sont piochés par le banquier plus la dette s'accumule. Les centimes c'est un peu comme la levure qui fait monter la pâte. Derrière ces crédits, derrière ces cartes et ces découverts il y a toujours des magouilles même si le banquier a le plus beau sourire du monde et t'invite à prendre un café en face du distributeur automatique de son établissement. Quand un professionnel te propose un café comme ça, c'est pour mieux te rouler dans la farine de maïs. Pourtant c'est pas cher, le café en face d'un établissement financier, mais à la fin c'est quand même toi qui le rembourses. Le principe de la levure c'est qu'on ne voit pas quand ça fait monter la pâte, on se réveille un matin et tout a déjà débordé. On t'ajoute les intérêts de ceci ou de cela sur ce café que tu as bu un jour dont tu ne te souviens plus, un café qui n'était même pas noir et qui était servi dans un truc aussi petit que le bouchon d'une bouteille de Coca-Cola…

Les crédits revolving ? Les découverts bancaires ? Je sais ce qu'il y a dans ces marmites chaudes et comment ça se termine. Rares sont celles ou ceux qui finissent de payer la totalité de leur dette. Sinon pourquoi les banques nous poussent à nous mettre la corde au cou au lieu de miser tout cet argent à la Bourse et de nous foutre la paix dans notre misère ?

J'ai compris leur fonds de commerce à eux : de nos jours la misère est devenue le plus bel investissement pour un établissement financier, ça ne sert plus à rien d'acheter des appartements, de mettre des locataires dedans, il faut investir dans la misère. Bientôt elle se vendra à la Bourse de Paris, et les actionnaires, y compris les petits porteurs, s'en mettront plein les poches…

Je règle mes impôts à temps parce que je ne veux pas que les huissiers se pointent devant ma porte avec un serrurier à la mine patibulaire. Il n'y a rien de pire qu'une visite inopportune de ces gens qui tirent la gueule et qui détaillent ta chaîne hi-fi, ta vieille machine à écrire achetée dans un dépôt-vente de la porte de Vincennes, ta brosse à dents électrique et ta cafetière italienne.

J'ai dit les huissiers ? Leur costume gris m'agace, j'ai la conviction que c'est le même qu'ils portent à chaque visite. Leurs grosses lunettes m'horripilent, j'ai l'impression qu'elles scrutent l'intérieur de mon corps, qu'elles écartent mes os pour voir si je cache un peu d'argent entre mes cartilages de conjugaison. Quant à leurs lettres d'injonction, elles t'empêchent de dormir parce que tu ne les comprends pas même si tu les lis mille fois avec le dernier Code de procédure civile sous les yeux. Y a toujours un article de dernière minute ou une nuance dont la finalité est de te faire payer le déplacement du serrurier à la mine patibulaire et les frais de paperasse de l'huissier au costume qui t'agace…

En somme je suis un homme d'une générosité sans bornes. Couleur d'origine ne l'avait pas compris. Je donne de l'argent aux mendiants qui sont assis devant la mosquée de Château-Rouge. Pourquoi eux ? Eh bien, je les préfère aux mendiants qui me fatiguent dans le métro parce que c'est à se demander s'ils n'abusent pas un peu trop. Dans le métro les mendiants sont agressifs, ils t'accusent d'être le responsable de leur infortune, ils estiment que tu leur dois quelque chose. Il y en a qui t'insultent carrément.

J'en ai croisé d'ailleurs un sur la ligne 4. Il était vieux comme les prophètes de l'Ancien Testament qui vivaient plus longtemps que nous. On aurait dit qu'il me suivait depuis plusieurs stations. Est-ce que c'était parce que j'étais bien habillé ou que j'avais la tête d'un couillon ? Peut-être. Peut-être pas. En tout cas je lui ai filé quelques pièces parce qu'il m'a dit qu'il n'avait pas mangé depuis quatre jours et quatre nuits et demie. J'étais content d'avoir fait une bonne œuvre. J'avais le cœur léger et j'en voulais aux voyageurs qui ne lui avaient pas souri parce que le sourire c'est quand même la clé de la vie comme le dit notre Arabe du coin.

Quand le métro s'est arrêté à Étienne-Marcel, le type est sorti en me saluant. Il ignorait que moi aussi je descendais là. Je l'ai vu se ruer dans le magasin d'un Arabe du coin et s'attraper une bouteille de rouge qu'il a commencé à descendre sous mes yeux. Je me suis dit que c'était de l'escroquerie, ce type n'avait pas utilisé à bon escient ma thune. Je ne me ferais plus avoir la prochaine fois par les mendiants du métro.

C'est donc pour ça que je préfère les mendiants de la mosquée de Château-Rouge. Eux ils ne vont pas se saouler la gueule comme ça. L'œil de Caïn les en empêchera. Ils ne sont pas agressifs, ils n'insultent personne, ils ne demandent pas, ils attendent qu'on leur donne. Et quand tu donnes, il n'y a que le mendiant et Allah qui regardent ce geste du cœur…

*

Je ne suis pas un peureux, je ne manque pas de courage et de volonté. C'est une question de stratégie : un lâche vivant vaut mieux qu'un héros mort. C'est un conseil très judicieux de mon défunt oncle qui avait déserté le camp militaire durant la guerre du Biafra pour défendre sa modeste personne, mourir plutôt de mort lente que pour des idées qui n'auront plus cours quelques lustres plus tard, comme dit le chanteur à moustache. Je me suis rendu compte que la désertion est héréditaire dans ma famille puisque moi aussi j'ai fui les obligations dans mon pays d'origine. Moi les armes etcetera, ce n'est pas mon truc. D'ailleurs lorsque j'aperçois un homme en uniforme – même les agents de sécurité d'un centre commercial ou d'un guichet automatique d'une banque de mon quartier – je change de trottoir, j'accélère le pas, je ne regarde plus derrière moi. Je m'imagine que la Troisième Guerre mondiale est proche, qu'il y a des mouvements de troupes vers la porte de la Chapelle, qu'on va appeler les fameux tirailleurs sénégalais à la rescousse comme autrefois. C'est pour ça que j'ai horreur des films de guerre quel que soit le génie du metteur en scène. Le dernier que j'ai vu c'est *Il faut sauver le soldat Ryan*. Certes ça changeait un peu du *Jour le plus long* qui était tout en noir et blanc, mais ça restait quand même un film de guerre, il y avait des uniformes, des armes etcetera, des mines, de la détonation et de la viande humaine à gogo avec une intrigue bien ficelée alors que dans une vraie guerre comme il faut il n'y a pas d'intrigue, il n'y a pas de suspens, il n'y a pas de gros plans, il n'y a pas de plans serrés, il n'y a pas de dialogues d'anthologie, on se tire dessus, on compte les morts pour que les historiens de la Sorbonne et les générations futures ne se chamaillent pas sur le nombre exact des victimes.

Un de mes amis d'enfance qui me conseillait de faire le service militaire chez les Angolais – et même de m'embrigader comme soldat – prétendait qu'être militaire était une bonne planque parce que pendant les guerres le militaire avait plus de chances de survivre qu'un civil qui, en plus, mourra sans les honneurs. Or moi j'aime la paix, je préfère de loin mourir civil et être enterré dans une fosse commune. Il y a quelqu'un qui a affirmé que celui qui veut la paix prépare la guerre. Je ne suis pas d'accord avec lui. Pour moi, qui veut la paix prépare la paix, un point c'est tout, le mot guerre est de trop. J'ai d'ailleurs une photo du pasteur Martin Luther King quelque part dans mes malles. Sur cette photo, le pasteur noir pose devant une image de Gandhi...

Mais voilà qu'au pays on nous imposait d'aller en Angola pour faire la guerre – on maquillait ça en disant qu'on y allait pour le service militaire, on devait être prêts au cas où nos voisins les Zaïrois qui sont bien plus nombreux nous attaqueraient pour nous piquer notre pétrole, notre bois, voire notre océan Atlantique.

C'était l'époque où il fallait aider les Angolais qui luttaient contre leur rebelle Jonas Savimbi et ses hommes tapis dans le maquis. Notre gouvernement envoyait alors en masse les jeunes gens à Luanda. Nous on prenait ça pour une punition puisque les enfants des notables et autres hommes forts du régime n'y allaient pas, eux. En plus les rebelles de Jonas Savimbi ne m'avaient rien fait de mal pour que j'aille les poursuivre dans la brousse où ils se nourrissaient de la chasse, de la pêche et de la cueillette. Mieux encore, j'admirais la grosse barbe de Jonas Savimbi, son gros nez et son regard de mamba vert. J'étais content quand il mettait en déroute les forces armées angolaises, et je croisais les doigts pour qu'il gagne cette guerre. Pourquoi aller combattre contre un type qu'on aime bien ?

Si nous autres de la plèbe on s'empressait d'aller en Angola c'était juste dans l'espoir de nous barrer en Europe depuis ce pays voisin, véritable niche de passeurs qui travaillaient main dans la main avec leurs complices des compagnies aériennes. Il suffisait de rassembler une coquette somme de trois cent mille francs CFA, et on pouvait s'envoler pour l'Europe. C'est depuis Luanda que j'en ai profité pour me barrer définitivement.

Je suis d'abord arrivé au Portugal avant d'échouer en Belgique, puis en France avec les papiers d'un compatriote mort depuis longtemps et dont les frères avaient vendu la carte de résident aux passeurs angolais. Je porte les nom et prénom de ce disparu, et on comprendra que je n'aie pas dévoilé jusqu'à présent mon vrai nom, encore moins à quelle rue précise se situe mon petit studio du XVIIIe. C'est clair que le jour où je casserai ma pipe, mon petit frère qui vit au pays s'empressera d'aller vendre mes papiers aux Angolais qui, à leur tour, les revendront à je ne sais quel imbécile candidat au voyage en Europe.

Mais bon, je suis en forme, en bonne santé, et ce n'est pas demain la veille…

*

Je n'aime pas revisiter ces instants de sacrifice, ce travail que j'exécutais bien malgré moi avant d'aller en Angola. Je me levais le matin et attendais un camion devant un abribus en face du Studio-Photo Vicky, sur l'avenue de l'Indépendance. Je montais dans le véhicule avec d'autres gars. Le camion ronronnait le long de l'avenue, s'arrêtait tous les deux cents mètres pour prendre d'autres manutentionnaires. Lorsqu'on arrivait au centre-ville, le jour se levait peu à peu. On entendait le rugissement des vagues. La mer n'était qu'à quelques dizaines de mètres. Les vendeurs de poissons du grand marché garaient leurs guimbardes à l'entrée du port et attendaient, anxieux, le retour des Béninois qui avaient le monopole de la pêche sur la Côte sauvage. Les autochtones, eux, estimaient que c'était une activité humiliante. La mer, c'était cela. Des bagarres entre les vendeurs de poissons, des disputes qui se terminaient au corps à corps au milieu de l'océan…

C'est là que je travaillais, moi, après avoir raté mon baccalauréat en lettres et philosophie et que mon père en avait conclu que l'école ce n'était pas pour moi, que de toute façon elle ne fabriquait plus que des chômeurs et des gens qui voulaient tous devenir président de la République alors que chez nous pour être président il fallait simplement apprendre comment faire un coup d'État et installer sa tribu au pouvoir.

Le camion nous déversait sur le bord de la chaussée comme des sardines, et on marchait jusqu'à un barrage où des hommes en uniforme vérifiaient notre identité, confisquaient nos sacs, puis nous laissaient enfin passer en file indienne. Commençait alors la rude journée, le déchargement des conteneurs sous la surveillance des contremaîtres. On était sans cesse accusés d'avoir piqué des objets venant de l'étranger afin de les bazarder au quartier Trois-Cents. Au moindre larcin, le coupable était conduit dans le bureau principal des douanes où on le dénudait avant de le flageller avec des fils barbelés et de lui établir un solde de tout compte dans lequel il se retrouvait débiteur à vie. La tentation du vol était là avec ces objets venus du monde entier. Or ce sont les douaniers qui se livraient à ce trafic, nous n'étions que des boucs émissaires. Nous les subalternes, nous les moins que rien on ne pouvait qu'envier ces merveilles…

À une heure de l'après-midi on nous accordait enfin une pause pour casser la croûte. Même durant cet instant de repos, les contremaîtres ne nous lâchaient pas d'une semelle. On flanquait à chaque table un cerbère à la musculature d'haltérophile et qui mastiquait de gros morceaux de manioc, l'œil mobile, à l'affût du moindre chuchotement. On ne quittait le port que le soir après des fouilles interminables durant lesquelles chaque ouvrier se mettait en costume d'Adam, les mains en l'air, dans une cabine qu'on surnommait « Maison-Filtre ». Lorsqu'on en sortait, on avait le sentiment d'avoir passé avec succès un concours de l'inspection des Impôts.

La nuit, il fallait dormir pour être en pleine forme le lendemain…

*

Mon père me répétait que rien n'était facile dans l'existence d'un homme. Gagner de l'argent au port avait l'avantage de m'endurcir, de me sensibiliser à l'idée qu'avant toute dépense je devais réfléchir. Et il me citait en exemple mon oncle Jean-Pierre Matété qui soulevait des marchandises à la gare ferroviaire de Pointe-Noire depuis des années. C'est ainsi qu'il avait réussi sa vie. Il avait construit une maison en dur, possédait une pompe à eau, de l'électricité. Et pour que son bonheur soit entier, il était allé chercher la femme de sa vie au village parce que, se rappelait-il, « les femmes de la ville épousent le portefeuille ».

Mon père avait une idée de la réussite que je ne partageais plus au fur et à mesure que les années passaient. Pour lui, l'idéal c'était d'avoir une activité quelle qu'elle soit. Fallait mettre de l'argent de côté pendant quelques années, puis construire une maison en dur avant d'aller dans son village natal épouser une vierge soumise et bonne ménagère. L'argent économisé serait utilisé pour la dot, bien sûr. C'était d'ailleurs ainsi qu'il avait épousé ma mère. Il me l'avait raconté pour me ragaillardir, pour me donner du courage quant à mon travail au port…

Je revois encore cet homme, mon père. Râblé, l'air débonnaire, il avait eu la chance d'aller jusqu'au cours élémentaire deuxième année, ce qui lui permettait de s'exprimer dans un français que lui jalousaient beaucoup de ses amis. Son travail de boy chez les Européens du centre-ville était comme une vengeance, une occasion de prouver aux vieux du quartier qu'il avait réussi sa vie. D'ailleurs, ces vieux, il les qualifiait tous d'« australopithèques » parce qu'il estimait qu'ils étaient fermés d'esprit, sans culture, sans vision sur les grands problèmes du monde. Il avait souvent cru que servir, obéir, côtoyer, écouter derrière les portes des Blancs l'avaient hissé au sommet de la civilisation occidentale au point d'avoir un avis sur tout et sur rien. Tant que c'étaient les Blancs qui avaient dit une chose, celle-ci était forcément vraie, et il était impossible de lui apporter la preuve du contraire, surtout si cette preuve venait d'un nègre.

Il s'emportait :

– Le Blanc n'est pas con ! Croyez-moi, les Blancs, je les côtoie tous les jours dans mon travail.

Et alors, imbattable, il se lançait dans des explications :

– Y a des Blancs de toutes les couleurs ! Y en a avec des taches bizarres sur le visage, y en a avec des cheveux tout blancs alors qu'ils sont encore jeunes, y en a avec la peau très blanche comme le vin de palme, y en a avec une peau telle qu'on se demande même s'ils méritent d'être des Blancs, y en a qui, au lieu de rougir quand ils sont en colère ou gênés, ils deviennent tout bleus ! Les Blancs, y en a de toutes les couleurs, c'est moi qui vous le dis ! Je dirais même que les Blancs ne sont pas blancs comme on le croit !

Il rappelait à qui voulait l'entendre qu'il aurait été capable d'épouser une Blanche, une « vraie » qui l'aurait emmené vivre en France, à Bordeaux. Pourquoi Bordeaux et non une autre ville française ? C'est à cause du vin. Il croit jusqu'aujourd'hui que cette ville doit son nom au vin et que tous les vins de la terre, pour peu qu'ils soient rouges, sont forcément des bordeaux et viennent de Bordeaux. Il ne sait toujours pas qu'il y a des vins blancs qui sont des bordeaux. Aussi, quand il entrait dans une des buvettes du quartier Trois-Cents et voulait prendre un pot, un « long » ou un « court » rouge de la Société des vins du Congo, il lançait au patron :

– Un verre de bordeaux !

Il buvait alors comme une éponge. Il avait cessé de boire l'année de mon départ pour l'Angola, à la suite d'une alerte cardiaque qui avait failli lui coûter la vie. Ivre, à l'époque, quand il se disputait avec ma mère, je l'entendais répéter :

– Si j'avais su, j'aurais épousé une Blanche de Bordeaux ! Au moins avec elle je boirais mon bordeaux sans qu'on m'embête…

Mais sa vie, il allait la passer avec notre mère. Il lui avait trouvé un étal au grand marché et elle vendait des arachides, du poisson salé et de l'huile de palme. Je suis le premier fruit de ce ménage arrangé par les notables de notre village Louboulou. Mon frère est né cinq ans plus tard. Tout ce monde vit au pays, à Pointe-Noire.

Je n'ai revu personne depuis plus de quinze ans, mais je me souviens toujours des dernières paroles de ma mère en larmes :

– Va en France, travaille et envoie-moi un peu d'argent pour que je loue un grand étal au marché Tié-Tié. Et puis, donne-moi un petit-fils ou une petite-fille avant que je quitte pour toujours cette terre…

Comme j'ai maintenant un peu de temps, quand je ne suis pas en train d'écrire ou de prendre mon pot au Jip's j'aime me perdre au marché Dejean, à Château-Rouge, et me souvenir que c'est là que Couleur d'origine et sa copine Rachel vendaient du poisson salé à la sauvette. J'y croise quelques types du pays. Beaucoup arrivent par la gare du Nord, à pied. En été le soleil semble les rôtir, les pauvres, mais ce n'est pas pour autant qu'ils renoncent à leurs habitudes. Ils marchent, prennent le temps d'arriver. Ils n'achèteront sans doute rien dans ce marché, mais ils auront l'illusion, comme moi, d'aller au pays, d'écouter les langues du terroir, d'échanger des propos sur la vie en France, sur les dictateurs qui sucent le continent et incitent les différentes ethnies à s'étriper devant les caméras de la communauté internationale.

Mes compatriotes de la gare du Nord sortent des trains de banlieue, arpentent le boulevard Magenta, lorgnent à travers les vitres les propositions mirobolantes des agences de travail intérimaire : on recherche des ouvriers qualifiés, des agents de sécurité, des techniciens de surface, des manutentionnaires. Ils notent tout ça sur des bouts de papier. Ils s'éternisent souvent vers Barbès-Rochechouart avant d'emprunter la rue Myrrha et de tomber en plein cœur du marché.

Et c'est le rituel incontournable des retrouvailles. Des embrassades interminables au milieu des étals de poissons fumés, de mangues, de goyaves ou de corossols. Des rires à gorge déployée, des bousculades sans la moindre excuse aux victimes même lorsqu'on leur marche sur les orteils.

Ils ont leur façon à eux d'engager la conversation :

– C'est toi que je vois là ? Non, je ne crois pas ! Comment ça va ?

– Est-ce que tu m'as vu attraper même une grippe ici ?

– Et notre ami Makaya, qu'est-ce qu'il devient ?

– Il a fait un tour au pays pour tâter le terrain.

– Ah bon ?

– Qu'est-ce que tu crois, il moisissait ici depuis quatorze ans quand même ! Dans ce pays les cheveux blancs tombent comme la neige dans les montagnes. Après, il faut utiliser du Pento ou du Qui-Va-Vite sur la tête pour embrouiller les gens…

– Tu penses qu'il va encore revenir ?

– En principe oui, s'il ne fait pas le con. Lorsque la souris s'éloigne trop de son trou, c'est toute une bataille pour le regagner ! Quitter la France alors qu'on n'a pas assuré ses arrières, tout le monde peut le faire. D'ailleurs, la police s'en fout puisque tu déguerpis à tes propres frais. Mais revenir à Paris, c'est une autre histoire ! Là on ne te rate pas si ta tête ne correspond pas bien aux docs que tu présentes !

– Quoi, il n'avait pas réglé son histoire de papiers-là avant de partir ?

– Non, justement, il est allé là-bas pour acheter des docs. Il a dit qu'il en profitera aussi pour diminuer son âge et continuer à vivre dans le foyer des jeunes travailleurs de Châtillon. Parce que dans ces foyers, faut être imberbe et avoir moins de vingt-cinq ans, or que lui il avait déjà trente-deux ans avec une longue barbe qui touchait par terre !

– Ah, là il va s'enrichir quand il reviendra avec ces docs ! Toi qui le connais bien, pense à lui dire de me réserver un permis de conduire, ça fait cinq ans que je rate le code de la route.

– Compte sur moi, il te fera un prix, c'est un de mes amis d'enfance. On a fait les quatre cents coups ensemble…

*

Il y a aussi des compatriotes qui passent non pas par la gare du Nord, mais par la gare de l'Est. C'est un détour pour atteindre le marché Dejean, mais ils s'en moquent, eux. Ils aiment errer vers la rue de Strasbourg. Rien ne presse pour eux. Ils savent ruminer le temps. Et quand il le faut, ils se transforment soudain en méharis allumés et accélèrent leur course. S'ils longent cette rue de Strasbourg c'est pour s'imprégner de l'atmosphère de Château-d'Eau, le temple de la coiffure et des produits cosmétiques nègres. Il y a toujours des attroupements devant la station de métro où des racoleurs teigneux harcèlent ceux qui passent par là avec une touffe de cheveux à la Jackson Five. Ils leur proposent des coupes rapides et moins chères dans les sous-sols à moitié éclairés ou au neuvième étage sans ascenseur d'un des immeubles délabrés des parages. Ces racoleurs ils savent obliger les clients potentiels, les engager dans des couloirs tortueux, des escaliers sombres d'où l'on entend, à longueur de journée, des coups de ciseaux et le grésillement de tondeuses de seconde main.

Une fois j'ai croisé par là un type qui n'était pas du milieu congolais – il était centrafricain. Il s'apprêtait à traverser la rue quand un racoleur, salivant devant cette alouette qui lui tombait rôtie dans la gueule, lui a sauté dessus comme un félin sur une proie facile :

– C'est quoi que tu as sur ta tête, mon frère ? Viens donc, tu vas voir comment nous on va arranger ça avec deux petits coups de ciseaux bien fait vite fait ! Tu ne croiras pas tes yeux-là ! Tu seras un vrai Sapeur, oui, un vrai !

– Non, merci mon frère, je ne me coupe plus les cheveux depuis un moment, et en plus je…

– Comment ça ? Donc tu es content de te balader avec un nid de corbeaux sur la tête ? Tu ne sais pas que l'eau de la France-là elle est bourrée de calcaire comme pas possible depuis que la gauche n'est plus au pouvoir ? Regarde alors sur tes épaules, c'est comme s'il neigeait dans tes cheveux tous les jours ! Mon Dieu, c'est vous-là qui nous faites honte dans ce pays ! Et comment une Blanche saine d'esprit et de corps peut te regarder comme ça avec ces cheveux-là ? Allez viens, c'est un conseil de frère, faut pas gâter la race, notre peuple a déjà trop souffert pendant quatre cents ans !

Le harcelé a fini par capituler et suivre le racoleur qui a empoché une commission après qu'il a fait asseoir son pigeon sur une chaise crasseuse aux pieds disproportionnés. Il a refermé la porte et il est reparti dans la rue dans l'espoir de cueillir un autre étourdi. Le coiffeur allait-il s'attaquer maintenant à la végétation crépue qu'il considérait avec dépit ? La peigner ? Il tergiversait. Il casserait son peigne, tant les cheveux de ce client égaré ne formaient plus qu'un entrelacement d'herbes sèches, poussiéreuses et impénétrables…

*

Château-d'Eau c'est pour nous le lieu de transit avant d'arriver à Château-Rouge. Y a la boutique Luxure où l'on vend toutes sortes de perruques féminines qui sentent la naphtaline et l'odeur du vomi d'un nourrisson. La boutique est prise d'assaut du matin au soir parce que ces filles elles veulent être à la hauteur des blondes aux yeux bleus pendant que celles-ci viennent au même endroit se faire faire des tresses pour ressembler aux Africaines.

Il arrive que des personnalités influentes de la communauté traînent dans les parages, manière pour elles de jauger l'enracinement de leur réputation. Le panel de ces personnalités est varié : hommes d'affaires logeant dans des hôtels Formule 1 de la périphérie parisienne, grands voyageurs mythomanes et incapables de situer sur une carte les pays qu'ils prétendent avoir visités, fils légitimes ou adultérins de chefs d'État, de ministres, de réfugiés politiques ou d'opposants qui ne représentent que leur ethnie, footballeurs réputés internationaux, mais qu'on n'a jamais vus dans un match diffusé à la télévision, vedettes de musique dépassées par l'évolution des instruments et la prolifération du nombre de pistes dans un studio d'enregistrement…

C'est à Château-d'Eau qu'on découvre les derniers tubes de la musique des deux Congo. C'est en vain que les pervenches et les policiers grognent et usent l'encre de leur stylo, mitraillent d'amendes les voitures stationnées sur une artère pourtant classée « rouge ». Beaucoup de ces véhicules affichent des immatriculations d'autres pays européens que la France…

Je suis tombé un jour sur une femme bien maquillée qui portait un pyjama et des charentaises alors qu'on rapportait qu'elle vivait à Creil, une banlieue à plus de cinquante minutes de Paris en train. Lorsqu'on l'a chahutée sur son accoutrement plutôt recommandé pour le lit et le sommeil, elle a répondu que la France était un pays de liberté, d'égalité et de fraternité.

– Et d'ailleurs, bande d'ignares, est-ce que vous avez remarqué que mon pyjama-là est griffé Yves Saint Laurent ? Je ne l'ai pas acheté pour me cacher dans mon lit avec ça, c'est pour qu'on me voie ! Avant de parler il faut bien regarder à qui vous avez affaire !

Je reconnais qu'à Château-d'Eau, on n'y coupe pas que les cheveux. On n'y aligne pas que des voitures aux immatriculations étrangères. On n'y trouve pas que des dames en charentaises et pyjama Yves Saint Laurent. Il y a aussi la vente à la sauvette des vêtements. Les transactions vont se conclure dans les toilettes des cafés malgré la vigilance et les plaintes des commerçants. On y joue aux cartes, et les billets de banque passent de mains en mains à une telle vitesse qu'elle pousserait David Copperfield à prendre une retraite anticipée.

C'est là que j'ai entendu le fameux plaidoyer d'un de mes compatriotes qu'on surnomme « Le Leader de l'opinion de Château-d'Eau » et qui a la malchance de toujours être le bouc émissaire des policiers qui fouillent le quartier au peigne fin.

Ce jour-là il leur a répondu :

– Messieurs les agents, si vous pensez que je suis en situation irrégulière, vous vous trompez ! Rien ne justifie ce contrôle dans la mesure où je ne trouble pas l'ordre public. D'ailleurs, pourquoi seulement moi et pas tout le quartier ? Je ne suis pas le seul basané ici, non ! Vous n'avez pas le droit de me traiter ainsi, et je vous rappelle que le Code de procédure pénale interdit de telles humiliations publiques ! Je vous garantis que je vais écrire au ministre de la Justice et aux gens bien comme les Robert Badinter, les Bernard-Henri Lévy et surtout le professeur Jacquard qui ne rigole pas avec ces choses-là ! Croyez-moi, ça va jaser dans le journal de vingt heures, et même en clair sur Canal + ! Après vous vous étonnerez que Château-Rouge fasse toujours l'actualité en France. Vous bafouez les droits de l'homme dans un pays qui se dit démocratique ! En réalité, les républiques bananières ne sont pas celles qu'on pense. Montesquieu lui-même, dans *L'Esprit des lois*, a dit que…

Malmené, retourné et plaqué contre le mur, Le Leader n'a pas pu terminer sa diatribe. La foule a crié haro sur les policiers en prenant la précaution de le faire de l'autre côté de la rue.

Le Leader, une fois de plus, devenait le héros du jour, ses mots étaient repris dans les cafés du coin et, plus tard, au marché Dejean de Château-Rouge…

En ouvrant ma porte j'ai entendu quelqu'un qui me disait bonjour sur le palier. Je me suis retourné : c'était monsieur Hippocrate. Qu'avait-il bu pour me saluer ainsi du jour au lendemain ?

Surpris par son attitude, je lui ai aussi dit bonjour. Je suis entré chez moi, j'ai allumé la télé : un président africain était suspecté d'avoir empoisonné son opposant. J'ai aussitôt repensé à la façon dont le président du grand Congo avait éliminé son farouche opposant, Moleki Nzela, il y a déjà plus de deux décennies. Il était très populaire, on disait qu'il gouvernait presque depuis l'étranger parce que lorsqu'il avait un meeting il fallait réserver un des grands stades d'Europe. Le malheur de Moleki Nzela venait sans doute du fait qu'il avait offert une Fiat 500 à la plus grande maquerelle de son pays, cette femme que tout le monde allait désormais appeler « Mama Fiat 500 ». C'est un fait historique qu'on raconte dans toutes les rues des deux Congo. Et si ça s'était passé ici en Europe, il y a longtemps que les élèves l'étudieraient à l'école.

Moleki Nzela venait parfois dans notre petit Congo, mais l'opposant devait toutefois se cacher car notre chef d'État avait des liens avec celui d'en face et les deux se faisaient des cadeaux de fin d'année : tu me livres mon connard d'opposant qui braille matin midi et soir à Paris, et je te livre le tien qui se la joue à Bruxelles alors qu'il n'a pas de couilles poilues. On a appris du jour au lendemain que Moleki Nzela avait été empoisonné par le président d'en face. Comme la rue en voulait désormais à ce président, elle lui a cherché un nom qui lui irait mieux que ses lunettes de clown. Le lendemain de cet assassinat, le peuple du grand Congo a surnommé son chef d'État « Le Roi des cons ». Il y a eu une chanson pour généraliser cette appellation. Mieux valait ne pas la chanter tout haut au risque d'être gratifié d'une belle guillotine. Hélas pour ce président, la chanson se murmurait sur toutes les lèvres, et on entendait dans la rue les gens siffloter, comme le chanteur de Sète, qu'il y avait peu de chances qu'on détrône Le Roi des cons, ce souverain pouvait donc dormir sur ses deux oreilles serein, tout le monde le suivrait docile, et qu'il était possible qu'on déloge le shah d'Iran mais qu'il y avait peu de chances qu'on détrône Le Roi des cons…

Or ce n'était pas pour un différend politique que le Roi des cons avait liquidé Moleki Nzela, c'était une histoire de cul. Le président et son opposant connaissaient bien Mama Fiat 500 qui tenait le plus grand commerce de réjouissances du pays d'en face, en plein cœur du quartier Matongé, et se réservait elle-même les hautes personnalités parce que, toujours d'après le chanteur de Sète, on ne tortille pas son popotin de la même manière pour un droguiste, un sacristain, un fonctionnaire, voire un président à vie ou un opposant irréductible. C'était tout juste si le président d'en face et son opposant ne se croisaient pas devant la porte de Mama Fiat 500 pour tirer leur coup. Celle-ci savait arranger les horaires, mais un embouteillage pouvait fausser les choses. Normalement Le Roi des cons venait, lui, tard dans la nuit. Il n'arrivait là que pour échapper aux caprices de son épouse, une emmerdeuse qui obligeait Le Roi des cons à se curer les ongles quand il se trémoussait sur elle alors que tout leur pays, et même le nôtre, savait qu'elle n'était même pas Callipyge.

Le premier soir où le Roi des cons a cru apercevoir son éternel opposant chez Mama Fiat 500, il s'est frotté les yeux en signe d'incrédulité et s'est retourné à plusieurs reprises vers ses quatre hommes de confiance entassés dans une voiture ordinaire, armés jusqu'à la carie dentaire :

– Merde, vous avez vu ce que j'ai vu ? Ce type qui sort par la porte dérobée, là-bas, de l'autre côté, vous le voyez ? C'est Moleki Nzela, le connard d'opposant qui raconte n'importe quoi sur moi depuis la Belgique !

Les sbires ont répondu comme un seul homme :

– Non monsieur le Président, Moleki Nzela vit à Bruxelles. Il a une interdiction de séjour dans ce pays depuis dix-sept ans, nous avons dans notre boîte à gants votre décret présidentiel.

Il a jeté un œil sur le décret, a reconnu sa signature :

– En effet c'est ma signature… Mais quand même, vous êtes sûrs que c'est pas lui que je viens de voir ?

– Sûrs et certains que c'est pas lui, monsieur le Président ! Moleki Nzela, ce fils de pute, est semble-t-il malade à Bruxelles et n'a même plus de quoi se payer les frais d'hospitalisation, on rapporte qu'il voudrait solliciter votre bonté pour honorer ses factures qui ne font que s'entasser ! Ah ! Ah ! Ah !

– Ah, oui, c'est ça, j'avais entendu cette histoire, mais qu'est-ce que je me fais des idées ! Ce con n'aura rien de moi, il n'a qu'à crever en Europe là-bas ! Je préfère payer ses funérailles, ça coûtera moins cher à l'État.

Les sbires ont éclaté de rire et ont loué le sens de l'humour présidentiel dont, selon eux, Le Roi des cons faisait toujours preuve. Ils notaient scrupuleusement ce qu'ils qualifiaient de « pépites humoristiques du président ».

Au bout d'un moment, Le Roi des cons a arrêté de rigoler. Il est revenu à la charge, comme piqué tout à coup par un moustique d'étang :

– Attendez, attendez, attendez, ah non, ah non, y a quelque chose qui ne va pas dans cette histoire… Vous me dites que c'est pas Moleki Nzela que je viens de voir là, hein ? D'accord, mais y a un homme qui s'est échappé de l'autre côté, et si c'est pas Moleki Nzela l'opposant de merde de mes deux, dites-moi donc qui est ce fugitif, hein ? C'est pour ça que je vous paie, non ?

Un des hommes, le plus petit de taille et qui avait toujours réponse à tout, a essayé de calmer Le Roi des cons :

– Monsieur le Président, permettez-moi juste de signaler qu'il y a beaucoup de filles dans la parcelle de Mama Fiat 500…

– Et alors ?

– C'est leur commerce. Elle est leur patronne.

– Et alors ?

– Comme il y a beaucoup de filles, il y a aussi beaucoup de types qui viennent, qui partent, qui sortent par la porte dérobée pour une histoire de discrétion, et tous les jours c'est comme ça…

– Oui, mais il n'y a qu'une seule Mama Fiat 500 là-dedans ! Et puis, toi tu m'agaces, tu as toujours réponse à tout ! C'est pour ça que tu n'es pas grand de taille, merde !

– Je vous présente mes excuses, monsieur le Président…

– Tu crois que c'est ton diplôme de Sciences Po qui va m'impressionner, moi ?

– Pas du tout, monsieur le Président…

– Est-ce que tu sais que moi j'ai fait l'Indochine ?

– Bien sûr, monsieur le Président, tous les manuels de notre histoire le rappellent…

– Est-ce que tu sais qu'il y a des gens sérieux qui étudient ma place dans l'histoire des idées politiques de ce monde ? Est-ce que tu sais que même de Gaulle et Pompidou avaient peur de moi, hein ? Est-ce que tu sais que quand je tousse la France contracte la grippe, hein ?

– Correct, monsieur le Président…

– Et puis y en a marre des hommes petits comme toi, demain tu es viré ! Tu rendras à la présidence ta Mercedes noire et ta villa qui est au bord du fleuve !

Trouvez-moi un homme grand, imbécile, et de préférence sans diplôme de Sciences Po ! C'est pourtant pas sorcier ce que je demande ici et maintenant : je veux savoir qui est ce type qui vient de sortir de chez ma Mama Fiat 500 à moi, est-ce clair et limpide ?

Comme le petit homme qui a réponse à tout, les larmes aux yeux, s'était tu, le plus grand de taille des quatre a risqué à son tour :

– Monsieur le Président, moi je n'ai pas de diplôme de Sciences Po, en plus je suis grand de taille, je mesure un mètre quatre-vingt-treize... Avec votre permission je voudrais simplement rappeler que votre Mama Fiat 500 est la patronne de ces filles, et elle est à vous, à vous tout seul, monsieur le Président. Elle ne fait la chose-là qu'avec vous, personne d'autre ne la touche. Cependant il faut qu'elle mange, qu'elle se nourrisse comme il est écrit dans la Constitution que vous avez rédigée vous-même avec sagesse et sagacité, et je cite, si je puis toujours me permettre, le sublime article 15 de notre Loi suprême : « Les citoyennes et les citoyens doivent se débrouiller pour vivre et ne pas attendre l'aide du Père fondateur de la Nation... »

Le Roi des cons a sursauté :

– C'est très mal écrit ! Très très mal écrit, cet article 15 ! Tu es sûr que c'est dans ma Constitution à moi ça ?

– C'est dans votre Constitution à vous, monsieur le Président. En plus l'article 17 modifié par...

– C'est bon, c'est bon, dispense-moi de ton avis de sans-diplôme fixe ! Tu t'es préparé à tous les diplômes en France, tu n'en as reçu aucun et tu oses ouvrir ta gueule pour parler de la modification de ma Loi suprême à moi ? Est-ce que je t'ai demandé ton avis à toi, hein ?

– Non, monsieur le Président…

– Alors n'ouvre ta bouche que lorsque ce que tu dis est plus beau que le silence, merde ! Je connais ma loi, puisque c'est ma loi à moi et que la loi c'est moi !

– Absolument, monsieur le Président…

– Revenons aux choses sérieuses : c'est qui ce type que j'ai aperçu sortir de chez ma Mama Fiat 500 si ce n'est pas Moleki Nzela, cet imbécile d'opposant qui me critique dans les chaînes câblées d'Europe avec la complicité des Blancs qui jalousent nos diamants et nos okapis, hein ?

Un autre garde du corps a pris alors timidement la relève :

– Monsieur le Président, si vous permettez…

– Tu mesures combien, toi ?

– Un mètre soixante-trois, mais je fais jusqu'à un mètre soixante-sept lorsque je porte des chaussures Salamander qu'on vend au centre-ville dans les boutiques des Libanais…

– Qu'est-ce que tu as à dire au sujet de cet homme qui s'est éclipsé à notre approche ?

– En fait Mama Fiat 500 a une petite entreprise avec ces filles…

– Et alors, quel rapport dans tout ça ?

– Ce que je veux dire c'est qu'il y a aussi des clients qui viennent pour ces autres filles…

– Je ne vois toujours pas le rapport !

– Ces clients sont obligés de passer dans le salon privé de Mama Fiat 500…

– Et pourquoi ?

– Pour payer leur passe, ils ne paient pas directement aux filles, mais à la patronne et…

– Attends, attends, attends un peu… Toi tu n'es pas si con que ça, tu es le meilleur !

– Merci monsieur le Président…

– Donc tu veux dire que ce type qui est sorti est un client venu pour une autre fille, pas pour ma Mama Fiat 500 à moi ?

– Exact, monsieur le Président…

– Là ça change tout, en effet !

– Monsieur le Président, nous devons plutôt être discrets et ne pas trop nous attarder ici même si nous sommes dans une voiture banalisée, il faut soit partir soit que vous alliez retrouver votre Mama Fiat 500…

– C'est vrai… Toi alors, mais comment je n'ai jamais remarqué que tu étais si doué ?

– C'est parce que mes autres collègues sont plus grands que moi, et il est difficile de me voir surtout que je marche toujours derrière eux…

– Alors pourquoi me cachais-tu ton intelligence ? Pourquoi tu laissais parler ces autres imbéciles avec leur bouche qui pue, hein ?

– Ce sont mes chefs, monsieur le Président…

– Eh bien, à partir de cette minute c'est toi leur chef !

– Merci monsieur le Président…

– Je dois y aller.

– Je vous en prie, monsieur le Président, nous assurons la couverture comme d'habitude…

Quelques jours plus tard, lorsque Le Roi des cons est revenu sur les lieux, avec les mêmes sbires, il a vécu la même scène. Il s'agissait bien de Moleki Nzela qui avait réussi à rentrer au pays d'en face en passant par notre pays. Les quatre hommes ont été d'abord limogés pour atteinte à la sûreté de l'État, puis liquidés sans procès.

Quatre nouveaux cerbères accompagnaient désormais Le Roi des cons chez Mama Fiat 500 avec pour mission subsidiaire de tendre un piège à Moleki Nzela.

Alors que celui-ci sortait de la bicoque de Mama Fiat 500, deux sbires l'ont rattrapé, l'ont immobilisé et lui ont fait avaler de la ciguë.

– Au moins il aura eu une mort de philosophe, a dit un des sbires.

L'information qui a circulé dans le pays d'en face était claire : Moleki Nzela était mort à la suite d'une longue maladie dans un hôpital de Bruxelles. Le président, dans sa bonté infinie, ajoutait le communiqué, paierait les frais des funérailles et élèverait ce digne fils du pays au rang de héros de la Révolution…

*

J'ai éteint la télé et la lumière, et je me suis endormi en me disant que le nouvel opposant qu'on venait d'assassiner en Afrique serait, lui aussi, élevé au rang des héros de la Révolution puisque « les morts sont tous des braves types », comme aurait dit le chanteur de Sète…

IV

Je n'étais pas au bout de mes surprises avec monsieur Hippocrate. Il est venu frapper à ma porte pour m'inviter au Roi du café. Il avait quelque chose de très important à me dire, a-t-il ajouté.

Je l'ai suivi parce que j'entendais encore la voix de Louis-Philippe qui me conseillait de lui tendre la main. Pourtant je ne savais pas ce qu'on pouvait se dire, lui et moi. Alors je l'ai laissé parler comme je laisse parler notre Arabe du coin.

On s'est installés à l'intérieur, à un endroit pas trop loin de la terrasse. Monsieur Hippocrate ne tenait pas en place, on aurait dit qu'il avait des fourmis dans les jambes.

Il s'est raclé la gorge et a commencé :

– Je ne suis pas contre vous, c'est pour ça que je vous ai invité aujourd'hui... J'ai fait un mauvais rêve vous concernant. Une voiture vous a écrasé à la gare du Nord et tout le monde défilait devant votre cadavre sans s'arrêter. Je passais par là, je vous ai soulevé sur les épaules pour vous conduire à Lariboisière. Mais c'était trop tard, trop de sang, et vous êtes mort dans mes bras… C'est la première fois de ma vie que j'ai pleuré. Je ne veux pas aller au Ciel en me disant que c'est moi qui suis la cause de votre mort. Je vous demande donc pardon, monsieur, oui je vous demande pardon pour tout ce que je vous ai fait. Et si vous mourez aujourd'hui ou demain, souvenez-vous que je n'y suis pour rien, que j'ai fait mon *mea culpa*… Cela dit, je voudrais que vous sachiez aussi qui je suis et ce que je pense, parce que je sais que vous allez bientôt mourir, mes rêves finissent par devenir réalité. Moi je suis un type bien, correct, je ne suis pas trop noir de peau, je n'ai pas le nez si écrasé. Je trouve que les petits esprits exagèrent trop l'injustice que l'on fait aux Africains alors que l'homme en Afrique noire vit dans un état de barbarie et de sauvagerie qui l'empêche encore de faire partie intégrante de la civilisation. Moi j'aime la France, j'adore les femmes blanches et les pieds de cochon, donc comprenez ma colère, c'est pas contre vous mais contre ces Noirs qui critiquent la colonisation. Vous, vous êtes un type qui n'est pas comme eux, j'ai mis du temps à le comprendre, je me suis beaucoup trompé en vous menant la vie dure. Est-ce que vous comprenez bien que sans la colonisation vous n'auriez pas eu de blondes, de rousses, de pieds de cochon, hein ? Il faut être honnête là-dessus, voyons !

Un serveur est passé nous déposer deux cafés. Monsieur Hippocrate l'a fusillé du regard comme s'il avait commis un crime contre l'humanité.

– Monsieur ! Qu'est-ce que vous me servez là ? J'ai demandé un cognac, pas de la pisse de chat sauvage ! Ça fait des années que je viens ici, est-ce que vous m'avez vu boire ça ?

Le serveur a remué la tête. Il semblait connaître le tempérament de monsieur Hippocrate. Il est revenu avec un cognac.

– Et mes glaçons ils sont où ?

– D'habitude vous prenez votre cognac sans glaçons, monsieur…

– Eh bien, aujourd'hui je veux des glaçons !

Pendant que le serveur était reparti chercher des glaçons, monsieur Hippocrate s'est penché vers moi :

– Vous avez vu ce serveur ? Lui je vais le virer, je vous jure ! Il a des cheveux un peu frisés, ça ne m'étonnerait pas qu'il ait du sang nègre quelque part ! Regardez-le bien, est-ce que c'est normal qu'on embauche des gens pareils, hein ?

Le serveur a déposé les glaçons sur la table. Monsieur Hippocrate lui a lancé :

– Y aura pas de pourboire pour vous aujourd'hui !

Il a bu d'un trait son cognac avant de reprendre :

– Il paraît qu'il y a des Noirs ingrats qui demandent des réparations pour les pertes causées par la colonisation ! Allons, allons ! Il ne faut pas se tromper de combat. Moi je dis que vous avez beaucoup à gagner avec l'héritage de la colonisation. Qu'est-ce que la colonisation, hein ? C'est un élan de générosité, c'est une aide qu'on apporte aux petits peuples qui sont dans les ténèbres ! Est-ce que vous comprenez ? Les civilisés sont allés au secours des sauvages qui vivaient dans les arbres et se grattaient avec les orteils. Les autochtones se mangeaient entre eux, sans même saler leur viande humaine ! Vous trouvez ça normal, vous ? En fait, moi les colons que je préfère, c'est les Belges. Ils ne rigolaient pas, eux, les Belges ! Il faut, pour vous en rendre compte, voir de près les photos des autochtones du Congo belge au temps béni des colonies. Magnifiques, je vous dis ! Quel art ! Il y a les mains coupées. Il y a des crânes rasés. La boule à zéro, c'est eux les Belges qui l'ont inventée parce qu'ils ne supportaient pas les cheveux crépus ! Y avait que du positif, et eux les autochtones ne voyaient que du négatif ! Et quand les Belges s'énervaient comme ça, eh bien, ils coupaient les mains et rasaient les crânes des autochtones sans autre forme de procès ! C'est normal, ils parlaient trop pour ne rien dire, ces indigènes. On vous apporte la lumière, la civilisation et autres bibelots, et vous osez encore brailler en petit nègre. La moindre des choses aurait été de dire : « Merci Bwana ! Merci Bwana ! Merci Bwana ! » En plus, ces autochtones apprenaient maintenant à prononcer le mot *Indépendance*. Y avait surtout les lunettes de Patrice Lumumba et compagnie qui agaçaient les Belges, c'est pour cela qu'ils avaient préféré le brave sergent Mobutu qui est entré dans le Panthéon des Grands Hommes de ce siècle. Grâce à quoi ? À la colonisation, pardi ! Tenez, il y a encore quelques jours je me disais que la situation devenait grave. Heureusement qu'on a voté une loi géniale qui valorise la colonisation. Il ne fallait pas attendre un tel constat venant des Nègres, ces ingrats ! Ils sont tellement noirs qu'ils noircissent tout, même les vérités qui sautent aux yeux. Moi je dis que les dirigeants africains devraient s'inspirer de cette loi qui redore le blason de la colonisation. Par exemple, une république bananière qui promulguerait une loi reconnaissant les bienfaits de la dictature d'Idi Amin Dada, du parti unique de Mobutu, de la torture des camps de la mort de Sékou Touré, etc. C'est pas génial, ça, hein ? Et encore, je ne vous parle que des dictateurs morts. Je ne veux pas de problèmes avec les vivants…

– Monsieur, je veux bien que…

– Non, c'est un problème grave, très grave ! Vous allez bientôt mourir, il faut m'écouter ! Je vous ai dit de venir prendre un pot avec moi pour que vous sachiez que c'est pas contre vous que je m'adresse. Je ne veux pas que vous racontiez n'importe quoi au Seigneur là-haut ! Alors ne me coupez surtout pas la parole, j'ai horreur de ça ! Vous m'avez toujours pris pour un con, et j'imagine aussi pour un raciste ! Est-ce que moi je me plains du fait que c'est vous les Africains qui avez vendu les Antillais aux Blancs, hein ? Est-ce que les Blancs savaient où aller trouver les Noirs dans la brousse, hein ? Il fallait bien qu'il y ait des chefs de village qui leur disent : venez, il y a des Noirs robustes à tel endroit, ils feront de bons esclaves ! C'est ça le problème de l'esclavage ! Pourquoi vous ne parlez jamais de ces Noirs qui ont été complices des Blancs, hein ? Pourquoi vous ne parlez jamais des Arabes qui ont fait aussi l'esclavage là-bas, hein ? Laissez l'Occident tranquille ! Qu'on arrête de nous blâmer, nous les Européens, y en a marre du sanglot de l'homme blanc, de l'Europe éternellement inculpée et de l'innocence des peuples du tiers-monde ! On n'a plus le droit de dire aux Noirs ce qu'on pense d'eux alors que les Noirs ils ne se privent pas de critiquer les Blancs au lieu de se mettre au travail pour développer leur continent. Est-ce que c'est ainsi que vous allez entrer dans l'Histoire, hein ? Vous pouvez vous habiller comme vous voulez ou jouer du tam-tam tous les dimanches, c'est pas là la question. Moi je parle de cette histoire de la colonisation, celle qu'on explique mal aux gens alors que sans la colonisation vous ne seriez pas ce que vous êtes devenus. Donc je ne veux plus être taxé de noir, moi. Je ne veux plus qu'on raconte des trucs du genre les Noirs ils sont naturellement forts, beaux, sportifs, endurants, qu'ils vieillissent mieux que les Blancs, etc. Mais parlons bien, qu'est-ce que vous vous avez de plus par rapport aux Blancs, hein ? Le sexe surdimensionné ? C'est ça ? C'est tout ? Allons, allons, c'est foutu de ce côté-là aussi. Le sexe c'était votre pré carré pour épater les blondes et les rousses. Or voilà que cet avantage vous a échappé depuis qu'un monsieur a trahi tous vos secrets dans un livre. Il a expliqué comment les Noirs n'étaient pas toujours si bien pourvus que ça. Du coup les blondes et les rousses en quête de nègres savent maintenant que le sexe surdimensionné des Noirs c'était qu'une légende de rien du tout comme la légende qui dit que les petits garçons naissent dans les choux. Y a même des bruits qui courent que certains Blancs en auraient des plus grosses que vous. Vous voyez le problème ?... Tenez, il y avait encore pas longtemps que votre petit fonds de commerce de nègres désespérés c'était l'esclavage ou la traite négrière. Et ça vous donnait des raisons de larmoyer, de dire aux Blancs qu'ils n'étaient que des méchants loups. Y a eu des groupuscules de nègres qui demandaient même réparation partout jusqu'à aller souiller la place de la Bastille là où notre peuple s'est battu pour garder sa dignité. Oh mon Dieu, c'est fini cette histoire d'esclavage ou de traite négrière. C'était d'ailleurs bien fini dans ma tête depuis qu'un écrivain noir – comment déjà s'appelle-t-il ? – avait dit que vous les nègres vous n'aviez pas les mains blanches, que vous n'étiez que des hypocrites. Vous êtes coupables, complices et tout ce que vous voulez. Ah oui, son livre c'est *Le Devoir de violence*, mais j'ai oublié le nom de l'écrivain, c'est un nom très africain, ça me reviendra sans doute après un autre cognac…

Je me demandais où monsieur Hippocrate voulait en venir avec ses propos décousus. Je n'arrivais pas à placer un seul mot. Et puis je me suis dit qu'il fallait que je le laisse vider son sac qui était bien rempli.

Il a commandé un autre verre.

– Je devine ce que vous pensez de moi en ce moment. Vous vous dites : « Il est vraiment taré celui-là ! » Ne me jugez pas si vite, je ne fais que dire les choses comme je les pense et les vois. Il n'y avait que du positif dans la colonisation, je vous dis. S'il n'y avait pas eu la colonisation, comment vous auriez eu des tirailleurs sénégalais ? Est-ce que vous auriez su ce qu'est un casque colonial, hein ? Je ne suis pas si ignorant que vous le croyez. Je connais un peu l'Afrique, j'achète des livres au Rideau rouge. Et qu'est-ce que je retiens de ces lectures ? Une vérité éclatante : c'est grâce à la colonisation que le Camerounais Ferdinand Oyono a écrit *Le Vieux Nègre et la Médaille* et *Une vie de boy* ; c'est grâce à la colonisation qu'un autre Camerounais, Mongo Beti, a écrit *Ville cruelle* et *Le Pauvre Christ de Bomba* ; c'est grâce à la colonisation que le Guyanais René Maran a écrit *Batouala* et qu'un Noir a eu pour la première fois le prix Goncourt qui n'est réservé, en principe, qu'aux Blancs, c'est ça ! Vous pensez que s'il n'y avait pas eu la colonisation on allait donner un prix aussi prestigieux que le Goncourt à un écrivain noir qui, en plus, nous critiquait dans son livre alors qu'il travaillait dans notre administration coloniale ? Les colons étaient donc élégants, c'est ça le fair-play, ils acceptaient les critiques alors que vos dictateurs ne tolèrent pas le dialogue. La colonisation, si elle n'existait pas, votre Chaka Zulu l'aurait inventée. Il n'aurait pas oublié le fouet, le mépris, le viol, le pillage, l'exploitation de l'homme par l'animal et l'extermination des peuplades au Congo belge. Chaka Zulu aurait décrété aussi que tout le Zaïre était sa propriété privée comme l'avait jugé le Belge Léopold II ! Oh je sais, je sais, oui je sais qu'il y a l'autre-là, Aimé Césaire qu'il s'appelle, il voulait casser la baraque de la colonisation dans son livre que j'ai aussi à la maison et qui n'a juste que cinquante-neuf pages écrit en tout petit et paru en 1955 chez Présence africaine là-bas, je veux dire dans le Ve arrondissement, 25 *bis* rue des Écoles, métro Cardinal-Lemoine ou Maubert-Mutualité, ça dépend de quel côté vous venez et de ce que vous recherchez. *Discours sur le colonialisme*, c'est le titre du livre en question ! Je ne veux plus le relire sinon je vais encore me fâcher contre les nègres alors que j'ai décidé de ne plus me mêler à eux. C'est pas gentil quand même de la part de ce Césaire de faire des discours de ce genre en cinquante-neuf pages écrites en petits caractères qui donnent de la myopie à tous les Blancs qui le lisent. C'est même ingrat d'écrire des choses comme celles qu'il a écrites. Vous vous rendez compte qu'il a écrit noir sur blanc ce qui suit – je l'ai retenu de mémoire : « Où veux-je en venir ? À cette idée : que nul ne colonise innocemment, que nul non plus ne colonise impunément ; qu'une nation qui colonise, qu'une civilisation qui justifie la colonisation – donc la force – est déjà une civilisation malade, une civilisation moralement atteinte qui, irrésistiblement, de conséquence en conséquence, de reniement en reniement, appelle son Hitler, je veux dire son châtiment. » N'importe quoi ! Il est allé les chercher où, ces raccourcis ? Ce Césaire ne me fera pas changer d'idée. La colonisation était utile. Laissez-moi vous en parler avec mes mots à moi ! Il n'y avait pas de Noirs qui vous commandaient en ce temps-là. C'était mieux que d'être commandés par des rois noirs qui rotaient et pétaient après avoir mangé. Il n'y avait pas de retard dans le salaire des fonctionnaires africains. On portait le Blanc sur une chaise en peaux de bête jusqu'au prochain village. C'était le moyen le plus commode. Pourquoi le condamner, le pauvre, hein ? À sa place moi aussi je me serais laissé porter sur une chaise par une douzaine de nègres bien musclés. Un véhicule ?

Soyons lucides ! Où c'est que les véhicules allaient passer dans ces jungles, hein ? Entre deux hippopotames en rut ? Qu'on ne vienne pas me raconter des conneries ! Buvez votre café, il va être froid…

Le café avait en effet refroidi. Monsieur Hippocrate avait compris que depuis quelques secondes j'avais baissé mon attention, je regardais plutôt une fille qui s'installait sur la terrasse.

– Le drame de l'Africain c'est ça ! a lâché monsieur Hippocrate en désignant la fille.

Il s'est levé, est allé lui dire quelque chose. Il est resté avec elle plus de cinq minutes et c'est lui qui parlait à la fille.

Lorsqu'il est revenu se rasseoir, il avait l'air dépité.

– Vous avez vu ce qu'elle allait faire, cette fille métisse ? Eh bien, elle allait allumer une cigarette ! Je lui ai dit de ne pas le faire ou de déguerpir de ces lieux. Elle se prend pour qui, elle ? Bon, où en étais-je ? Ah oui, la colonisation… On vous tapait un peu dessus, pour votre intérêt. À l'école on vous interdisait de parler vos langues de barbares dans la cour de récréation. Civilisation ou barbarie, fallait choisir, parce que nations nègres et culture, c'était incompatible. Là on vous offrait la civilisation ! Donc cette école de Jules Ferry c'était du béton. C'était pour vous la fin du règne du participe passé conjugué avec l'auxiliaire « y en avoir », par exemple : La banane que moi y en a mangée. C'était fini, ça, grâce à la colonisation. Vos ancêtres à vous aussi étaient devenus des Gaulois. Ces Gaulois ils fabriquaient leur potion magique à l'aide de votre pétrole à vous, vu que vous étiez cons et sans idées. Donc le colon prenait cet or noir pour le raffiner. Et alors, est-ce que c'était pas pour votre intérêt ? Et puis, entre nous, une vie de boy chez le colon c'était mieux qu'un étrange destin de chasseur ou de féticheur ! La ville coloniale n'était pas si cruelle que ça. Faut pas croire ce que vos intellectuels ont raconté. En plus quand on devenait vieux et qu'on avait donné ses enfants pour qu'ils aillent combattre en Europe pour la France, on méritait une médaille qu'on allait prendre chez le commandant du cercle. Vous croyez que les médailles on les donne comme ça ? Y a que du positif, je vous dis. Les nègres ils n'avaient rien avant l'arrivée des Blancs. C'était le vide, le chaos, l'anarchie, rien à Tombouctou, pas d'empire du Mali, pas d'âme, pas de culture, pas de dieux, pas de religion, pas de structure politique et sociale ! Ils devaient choisir pour leur survie : une peau noire ou un masque blanc. Et les plus intelligents d'entre eux ont choisi le masque blanc parce que la peau noire c'est la malédiction de Cham. Vous voyez le problème ? Je m'arrête là, mais sachez que c'est pas contre vous que je me dresse, je n'aime pas les ingrats, je ne dis que les choses comme elles sont. Après, vous les prenez ou vous les jetez dans le local de nos poubelles au sous-sol où on se croise souvent, ça dépend de vous. Y avait que du positif, je vous dis. À partir de ce jour, puisque vous allez bientôt mourir, enterrons la hache de guerre, venez me voir si vous voulez discuter de ces problèmes avant votre mort, mais vivons en paix. Je sais tout de vous, de votre femme, de votre enfant et de ce type qui jouait du tam-tam. C'est pas un problème, c'est la vie. Trouvez-vous une autre femme, de préférence blanche au lieu de vous raccrocher à votre couleur d'origine…

Il a sorti un billet et l'a déposé sur la table. Le serveur lui a rendu dix centimes qu'il a aussitôt empochés :

– Je vous avais prévenu qu'il n'y aurait pas de pourboire pour vous, pourquoi vous restez debout comme ça devant moi comme un imbécile ?

*

On sortait du café quand monsieur Hippocrate m'a dit :

– Je me souviens maintenant : le nom de l'Africain qui a écrit *Le Devoir de violence*, c'est Yambo Ouologuem. Il faut le lire, lui au moins c'est un vrai monsieur. C'est pour ça que tout le monde s'est ligué contre lui…

Ça se passait au Jip's et les autres potes n'étaient pas encore arrivés. Je ne voulais pas parler parce que je revenais de la porte de la Chapelle où j'avais fait un Western Union pour payer la pension alimentaire au pays. J'ai commandé une bière et un type qui était assis au fond du bar s'est levé pour venir vers moi. Il a dit qu'il était breton, qu'il aimait l'Afrique, que d'ailleurs tous les Bretons aimaient l'Afrique. Lui aussi était amateur des faces B, donc on regardait passer les filles et moi je lui expliquais comment lire le caractère de telle ou telle passante juste en observant son derrière bouger. Tout d'un coup on a changé de sujet et on est tombés sur la politique au lieu de nous contenter de nous rincer l'œil, vu qu'il y avait des groupes d'Italiennes et d'Américaines qui passaient par là.

Je lui ai dit qu'il y a des espions partout, que je déteste donc discuter de politique dans un bar avec des gens que je ne connais pas.

– J'ai vraiment la tête d'un espion, moi ?

Je l'ai bien regardé, il était le portrait craché des frères Dupont et Dupond qu'on rencontre dans les aventures de Tintin. Même calvitie, même moustache, même costume sombre. Il m'a payé deux Pelforth.

– Je veux seulement savoir comment vous les Africains vous jugez notre politique et comment les choses se passent chez vous.

Je crois que le type se souviendra de moi toute sa vie. Je n'ai jamais bavardé aussi longtemps dans un bar face à un inconnu. Je m'en fous s'il était un espion, j'ai exprimé ce qui venait du fond du cœur…

*

Quand j'ai appris au Breton que j'étais originaire du Congo, le tout petit Congo, 342 000 kilomètres carrés de lopin de terre avec une fenêtre qui donne sur l'océan Atlantique et un fleuve qui est parmi les plus grands du monde, pays qu'il ne faut surtout pas confondre avec le Congo d'en face qui est plus grand et qui fut la propriété privée du roi des Belges, il n'était pas d'accord avec moi :

– Bof, historiquement les deux Congo étaient un même territoire, on ne va pas en faire tout un plat !

J'ai marqué une pause. Je lui ai dit : NON, NON, NON, il ne faut pas confondre les deux pays sinon je vais me fâcher. Je sais bien que les frontières qui nous séparent viennent d'un partage entre la France et la Belgique parce que ces deux nations-là allaient s'étriper s'il n'y avait pas eu une conférence à Berlin pour calmer leurs humeurs belliqueuses. Je ne veux rien savoir de tout ça ! Moi j'étais pas là quand les Français et les Belges se lançaient des noms d'oiseaux sur les rives de notre fleuve. Vous le Breton vous n'étiez pas là non plus ! Moi j'ai un pays d'origine, les Congolais d'en face ont le leur, y a des frontières, un point c'est tout. Je ne veux pas qu'il y ait de confusion là-dessus. Chacun doit rester dans sa parcelle et cultiver son jardin dedans. Vos ancêtres savent pourquoi ils ont décidé qu'il y ait des frontières entre nos deux Congo. C'est pas moi qui vais contredire leur sagacité. Je suis très en colère contre le grand Congo parce qu'ils ont repris le nom Congo alors qu'ils avaient décidé que leur pays à eux s'appellerait le Zaïre, nous on était restés le Congo, donc ça embrouille encore plus les choses quand je me retrouve devant des gens qui ignorent tout de la géographie de cette région-là et que je suis maintenant contraint de préciser que je viens du plus petit des deux Congo, sans compter que toutes leurs putes viennent travailler dans notre pays où elles ont importé la Révolution horizontale. Vous ne savez pas ce qu'est la Révolution horizontale, vous. Est-ce que vous vous imaginez que ce sont ces femmes du grand Congo qui nous gouvernent actuellement ? Que ce sont elles qui décident de notre pouvoir d'achat, de nos retraites, de la répartition des dividendes de notre pétrole et de la ligne de notre politique étrangère ? Est-ce que vous savez que des historiens sérieux ont publié des thèses qui soutiennent que cette migration massive des filles de joie du pays d'en face vers notre pays à nous était due à la bonne santé de notre monnaie, le franc CFA, monnaie bien cotée en brousse, plus forte que la monnaie du grand Congo qu'on appelait aussi le zaïre ? C'était une vraie monnaie de singe, leur monnaie à eux, elle perdait son cours à chaque rumeur farfelue de coup d'État, de gonococcie aiguë de leur ministre de l'Économie et des Finances ou du décès de leur président à vie dont on pouvait apprécier la mine austère, les grosses lunettes de clown, la canne, le couvre-chef en peau de léopard sur chaque billet de banque. Eux, je veux dire ces gens du pays d'en face, ils avaient la manie de tout appeler zaïre : leur vaste pays, leur monnaie, leurs putes, leur fleuve et même tout ce qui ne pouvait pas être nommé en attendant que leur président à la mine austère remonte l'arbre généalogique de sa tribu et leur déniche un pithécanthrope dont on emprunterait le nom imprononçable pour rebaptiser par décret présidentiel soit un boulevard du centre-ville, soit un rond-point menant vers les ambassades de France, des États-Unis, d'Angleterre ou de Belgique mais jamais une impasse d'un quartier populaire dont les ruelles n'ont pas de nom, dont les chemins ne mènent pas à Rome. Et comme dans notre petit pays nous n'avions pas assez de place pour héberger ces femmes qui traversaient le fleuve par myriades, par pirogues entières pour venir chez nous avec leurs affaires sur la tête, cette transhumance a apporté la Révolution horizontale, celle qui était à la portée de toutes les bourses, et on avait donc des femmes en pagaille, en cascade, à prix réduit. Est-ce que vous voyez comment les choses se sont passées, hein ? On aurait préféré une autre révolution que celle-là, mais on était conscients que les autres révolutions qui faisaient fureur dans le monde entier coûtaient trop cher aux peuples. De toute façon, vu qu'au tout début de la Révolution horizontale les caisses de notre État étaient vides, pillées jusqu'au moindre centime par le gouvernement et le liquidateur judiciaire local qui se payait d'abord son salaire en liquide, on n'aurait pas eu les moyens financiers de nous offrir une révolution du style 1789 dont vous autres les Français en êtes encore à payer les pots cassés parce qu'il y a toujours ici des privilèges, des impôts au faciès qui ruinent les petites gens, bref des inégalités qui font rire tous ceux qui lisent la Déclaration des droits de l'homme et du citoyen lambda. On aurait pu, avec un peu plus de courage politique, nous acheter une version revue et corrigée de la Révolution française, et la France elle-même nous l'aurait volontiers livrée clés en main, avec un service fiable de maintenance 24 h/24, 7 j/7 et un numéro vert au cas où il y aurait eu des pannes de révolution la nuit et que personne dans le pays n'aurait été capable de changer les boulons et de remplacer les ampoules grillées à cause du voltage surélevé des Lumières ! D'accord, on aurait alors eu notre 1789 à nous. Et après, hein ? Cette révolution aurait été pour nous un produit de luxe. Elle nous aurait exigé une plus longue préparation, un changement de mentalités. Il nous aurait fallu trouver par exemple un Napoléon Bonaparte local dont la mission aurait été de perpétrer, dix ans après ce 1789, un petit coup d'État du 18 Brumaire fomenté depuis la demeure d'une femme aux grosses fesses comme j'aime, une femme qu'on aurait aussi appelée Joséphine de Beauharnais. Et puis on ne fait pas de révolution sans les idées. Donc, là aussi, il nous aurait fallu penser à laisser des idées révolutionnaires pour les générations futures afin qu'elles ne nous prennent pas pour des cons à temps plein qui avaient eu la chance de tenir entre leurs mains une révolution et ne s'étaient pas crevé le cul pour fabriquer des idées qui vont avec. Qui donc se serait sacrifié pour avoir des idées et mourir pour elles puisque, comme le dit votre grand chanteur à moustache, à trop forcer l'allure il arrive qu'on meure pour des idées n'ayant plus cours le lendemain ? Du coup, à défaut d'un 1789 trop onéreux pour nos poches de la plèbe et que vous auriez refusé de nous vendre même à crédit parce que nous avons la réputation de ne jamais payer nos dettes mais d'en implorer sans vergogne l'annulation pure et simple devant la tribune des Nations unies, notre petit Congo a d'abord hérité de la Révolution rouge que les Russes vendaient à moitié prix, version marxiste-léniniste, mais surtout, un peu plus tard, de la gratuité de la Révolution horizontale avec les femmes du pays d'en face qui s'implantaient à chaque coin des rues et faisaient perdre la tête à nos papas. Nos autorités allaient s'apercevoir que ladite Révolution horizontale ne relevait pas de l'anecdote et qu'elle faisait sérieusement de la concurrence déloyale à la vraie, à l'authentique Révolution rouge de notre pays tombé depuis des années dans la marmite bouillante du communisme sans soviets et sans électricité, de la dialectique pure et dure, des kolkhozes et des sovkhozes, du socialisme plus ou moins scientifique, du matérialisme à peu près historique. Et même notre président de l'époque, lui qui ne portait ni lunettes de clown ni couvre-chef en peau de léopard, Sa Très Haute Excellence Meka Okangama, lui aussi il nous les cassait avec ses messages quotidiens aux forçats de la faim, aux prolétaires qui attendaient je ne sais quoi pour s'unir et se contentaient du travail à la chaîne dans les usines alors que la Révolution rouge était là pour la lutte finale, pour un monde dans lequel il n'y aurait plus de salariés mais que des patrons avec de gros ventres et des cigares cubains vissés entre les lèvres. Est-ce que vous savez qu'en ce temps-là déjà, pour contrer la Révolution horizontale qui arrivait à nos frontières, notre président ne jurait plus que sur de longs passages d'un bouquin d'Engels – il prononçait « Angèle » –, livre intitulé *Ludwig Feuerbach et la Fin de la philosophie classique allemande*, livre qui ne le quittait plus comme s'il l'avait lui-même écrit ? C'étaient de vrais moments de politique, monsieur le Breton ! Je ne rigole pas avec cette histoire, même quand je suis un peu ivre ! Lorsque notre président marxiste était en forme, la sueur dégoulinant de son front bombé, la cravate mal nouée tel un suicidé ayant enfin réussi sa pendaison, il s'en prenait à la bande de vos philosophes de l'Antiquité, ces vicieux qui prônaient trop vite les plaisirs de la vie comme l'éjaculation précoce ou la masturbation à l'aide de la graisse de boa, ne se souciaient que de leur barbe et peut-être, entre deux enseignements bâclés dans l'Agora, se tapaient les belles petites momies à peine sorties de la puberté. Notre président n'oubliait pas de fustiger vos vagabonds de jadis qui créchaient dans des barils, allumaient idiotement des lampes tempête en plein jour et n'étaient même pas foutus de nous enthousiasmer, de nous proposer une définition unanime de la philosophie, une définition qui aurait au moins eu le mérite éternel de dispenser les jeunots des classes secondaires de se tirer les cheveux en quatre pendant leurs examens de fin d'année lorsqu'ils broient leur stylo pour répondre à un sujet bateau du genre : « Qu'est-ce que la philosophie ? » Faut pas plaisanter avec ça, monsieur le Breton ! Notre président avait beaucoup lu même s'il n'avait pas son certificat d'études primaires et qu'il épluchait les pommes de terre dans les cuisines de l'armée française pendant la Deuxième Guerre mondiale. Comme tous les dictateurs, il connaissait ses classiques, houspillait les modernes à qui il reprochait d'avoir abandonné le subjonctif imparfait du jour au lendemain pour une langue plus libérée et forcément sans élégance. C'est fort de cette culture générale que lui enviait le peuple qu'il nous exhibait aussi *Le Capital* de Karl Marx, juste après avoir évoqué Engels – et les mauvaises langues concluaient que le président aimait bien les livres de Marx et sa femme Angèle. Sa Très Haute Excellence n'était pas n'importe qui, vous le savez, vous les Français ! Il estimait que vos types illuminés d'autrefois qu'on appelait philosophes ils n'avaient fait qu'interpréter le monde, et il fallait désormais le changer à coups de machettes rwandaises ou de Kalachnikov importées directement de la Russie en passant par la frontière étroite du Cabinda même si les

Angolais et leurs rebelles ils n'étaient pas d'accord…

Le Breton a payé l'addition et m'a dit au revoir. Willy qui nous écoutait d'une oreille s'est rapproché pour me souffler :

– Je crois que tu dois rentrer. Je ne t'ai jamais vu bavarder comme ça depuis que je te connais. Tu as mis mal à l'aise le pauvre Breton alors que c'est un type qui avait l'air très gentil. C'est pas comme ça qu'il reviendra dans ce bar…

Épilogue : un an et demi après

Une année et demie déjà…

Je ne suis pas mort comme le croyait monsieur Hippocrate. Au contraire depuis il y a de bonnes choses qui se sont passées dans mon existence.

Je suis un autre homme, et cela fait rigoler mes amis du Jip's qui me voient avec des pantalons pattes d'éléphant comme dans les années soixante-dix.

– On a laissé la Sape, on devient maintenant hippie ? a lancé l'agent de sécurité Lazio.

– Fessologue, tu vas bientôt finir dans un asile, a conclu Yves L'Ivoirien tout court.

*

Je défrise mes cheveux et les tire en arrière comme dans les films des années trente ou quarante que je regarde avec Sarah. C'est elle qui aime que je sois comme ça, je dois me distinguer, créer mon propre style même à contre-courant. Ça me prend beaucoup de temps car il me faut dénicher les produits dans un magasin à Château-d'Eau. Parfois le commerçant est en rupture de stock, et il faut attendre des semaines entières avec des cheveux frisés. En attendant que ces produits arrivent des États-Unis, j'évite de me mirer. Quand je sors je porte un chapeau pour couvrir ma tignasse.

Un Gabonais qui traînait devant le McDonald's de la gare de l'Est m'a laissé entendre qu'en fait je n'étais qu'un type minable, que si je me défrisais les cheveux c'était parce que je n'assumais pas ma négritude, que j'avais un problème grave, que je faisais honte à la plus belle race du monde, celle qui est à l'origine de tout sur terre. Je n'étais pas obligé de lui dire bonjour puisque j'attendais plutôt Roger Le Franco-Ivoirien qui devait me filer *Droit de veto*, le dernier disque de Koffi Olomidé. Et comme le Gabonais me matait sans cesse, je l'ai salué en me disant qu'il admirait peut-être ma nouvelle façon de m'habiller.

Il n'a pas répondu à mon salut et a tiré la tronche de quelqu'un qui était horrifié :

– Je ne réponds pas à votre salut ! Et vous savez pourquoi !

Alors je l'ai envoyé balader, je lui ai lancé une formule qui m'était venue comme ça à l'esprit et que j'avais lue quelque part : l'homme est le boulanger de sa vie. Donc c'est à moi de pétrir mon corps, de le transformer comme je l'entends, un point c'est tout. De quoi se mêlait-il ? Déjà que je ne me blanchis pas la peau, ce Gabonais devrait normalement être content parce que j'en connais des Noirs qui ne se privent pas de se faire des trucs de ce genre sur le visage avec des produits importés par les anciennes amies nigérianes de Couleur d'origine !

Le Gabonais a rajouté que je n'étais qu'un pauvre Noir qui n'aimait pas le manioc et que je me défrisais les cheveux pour ressembler aux Blancs.

– Regardez-vous, on dirait un singe ! Ces cheveux lissés c'est pour ressembler au Blanc ou quoi ? Vraiment la colonisation continue ses ravages dans la communauté !

J'ai éclaté de rire parce qu'il était habillé comme un broussard avec sa cravate qui ressemblait à l'intestin grêle d'un pingouin. Il devait être un de ces étudiants qui continuent leurs études alors que les cheveux blancs enneigent déjà leur tête. Il se prenait pour qui, hein ?

J'ai décidé de ne plus attendre Roger Le Franco-Ivoirien qui est souvent en retard d'une heure, sinon plus.

J'ai craché par terre et je suis parti…

– C'est ça, barre-toi, pauvre aliéné ! Après les cheveux, il te restera la peau à blanchir, surtout les coudes, les talons et les genoux !

– L'Europe nous a trop longtemps gavés de mensonges et gonflés de pestilences. Est-ce que tu sais quel poète noir a dit ces choses courageuses, mon frère africain ? Dans la vie il faut être honnête, dire les choses en face. Est-ce que je t'ai déjà caché quelque chose, moi ? Est-ce que je ne te raconte pas tout, moi ? Pourquoi alors tu m'as fait ça, hein ? Je croyais que tu étais comme un membre de ma famille. Mais tu m'as menti, tu m'as toujours menti depuis le début. Je sais maintenant que toi aussi tu es comme certaines gens de ce quartier, tu penses que je ne suis qu'un pauvre Arabe du coin, que ma vie se passe derrière un comptoir, que je ne vaux rien. C'est là que tu te fourres le doigt dans l'œil ! Ce qui me tue c'est que je me sens aujourd'hui trahi par un frère du continent. Tu as toujours répété que ta femme et ton enfant sont en vacances au Congo, c'est ça ? C'est faux !!! C'est quoi ces vacances qui durent plus d'un an et demi ? Je suis au courant de tout. Et si c'est pas l'Antillais de votre immeuble qui m'a dévoilé la vérité, est-ce que moi j'aurais su les choses, hein ?

Comment aurais-je deviné que ton cousin artiste c'est lui qui est parti avec ta femme et la petite, hein ? Et moi j'ai l'air de quoi dans cette histoire, moi qui te disais que ce type-là était quelqu'un de respectueux ? D'ailleurs tu n'es plus comme avant, avec ces pantalons de voyou, toi qui t'habillais comme un enfant de ministre ! C'est quoi ces cheveux que tu défrises, tu as honte de toi ? Et pourquoi tu ne passes plus dans mon magasin ? Je t'ai vu hier avec une Blanche aller acheter tes papiers hygiéniques chez le Chinois alors que moi j'ai ça en pagaille ici. Est-ce que c'est comme ça qu'on se comporte devant un frère africain ? Les commerçants chinois s'ils sont devenus forts c'est pas parce qu'ils ont plus d'argent que nous, c'est parce que c'est des gens comme vous qui les rendent encore plus forts quand vous allez acheter des papiers hygiéniques chez eux alors que moi j'en ai en pagaille dans ma boutique. Bon, ça encore je peux fermer l'œil là-dessus, mais me cacher la vérité, non, non, non ! Et c'est qui cette Blanche qui rentre et qui sort de votre immeuble avec toi, est-ce que c'est comme ça qu'on va réussir l'Unité africaine de notre Guide Mouammar Kadhafi ? Quand je te parlais de R-E-S-P-E-C-T, toi tu ne m'écoutais pas. Est-ce qu'au fond de toi tu ne penses pas que c'est ton cousin-là qui méritait de vivre avec ta femme ? Lui, je te l'ai dit, je le trouvais respectueux, il ne m'aurait pas fait ce que tu m'as fait, toi…

*

La fille dont parle notre Arabe du coin c'est Sarah. Elle est belge par son père et française par sa mère. Elle peint les scènes de vie quotidienne des bars et des cafés, et elle dit que Château-Rouge et Château-d'Eau l'inspirent beaucoup dans sa création. Au départ elle faisait rire mes potes qui ne comprenaient pas qu'on puisse gagner son pain en peignant les canettes de bière et des personnages noirs qui somnolent devant leur verre.

Le jour où elle est entrée au Jip's on avait tous compris que c'était la première fois qu'elle mettait les pieds dedans. Elle est venue vers nous, elle a dit qu'elle cherchait quelqu'un qui poserait pour elle. De préférence un type extravagant.

– Un peu comme vous, a-t-elle précisé en me montrant du doigt.

Mes potes avaient tous rigolé. Paul du grand Congo a murmuré que cette Blanche voulait simplement se taper un nègre. Yves L'Ivoirien tout court la dévorait des yeux et avait l'air de baver :

– Tu as vu son derrière ? C'est comme les gazelles de chez moi à Abidjan. Je parie qu'il y a déjà un Nègre qui fouette ça et qui vient de la larguer, c'est pour ça qu'elle est venue en chercher un autre qui va prendre le relais parce qu'une Blanche ne peut pas avoir une telle face B sans qu'il y ait un bon nègre qui ait bien bossé en amont. Et puis, que demande le peuple, hein ? Il faut lui faire payer les traitements cruels que ses ancêtres nous ont infligés pendant la colonisation. Comme elle est franco-belge, c'est à la fois la France et la Belgique qui vont passer à la caisse. On va avoir une double indemnisation. C'est ce qu'on appelle faire d'une pierre deux coups…

Willy a changé de musique parce que les chants de la chorale qu'il avait ramenés de Brazzaville nous endormaient et nous faisaient penser à nos défunts. Olivier avait d'ailleurs commencé à sangloter.

On a compris que Willy voulait danser la salsa avec la fille puisqu'il a mis un titre de Compay Segundo alors qu'avant nous n'avions pas pu le convaincre de changer sa musique d'enterrement.

Il a dit à Sarah :

– Je m'appelle Willy, je suis le « propriétaire de tous les dossiers » de ce bar, et je suis plus léger qu'une plume de moineau ! Quand je danse j'emmène toujours ma cavalière au-delà du septième ciel, mais rassurez-vous je la ramène sur terre avec agilité. Viens ma chérie, c'est ici que ça se passe, et c'est moi le meilleur danseur de salsa de ce coin, les autres c'est des embrouilleurs de première classe. Je te sers un petit jus de gingembre pour démarrer le moteur ?

Bosco Le Poète de l'Ambassade lui récitait déjà *Le Lac* de Lamartine. Il s'est rapproché de la fille et lui a murmuré : « Un seul être vous manque et tout est dépeuplé. » Quand il a voulu enchaîner avec *Le Dormeur du val*, tout le monde a hué sur lui.

L'agent de sécurité Lazio me paraissait encore plus musclé. On aurait dit qu'il avait mis de l'huile sur ses biceps pour épater Sarah. Son crâne rasé luisait et il exhibait un sourire plein d'assurance.

Le Poète de l'Ambassade a confié à Paul du grand Congo :

– Si le musclé sort avec cette fille, demain je me mets aussi à la musculation !

Et Lazio tournait en rond, montrait que c'était lui le propriétaire de tous les dossiers du Jip's, pas Willy, pas même le patron Jeannot qui, cette semaine-là, avait fait un tour au Maroc en voiture avec ses amis.

Lazio a attrapé la fille par les reins, il n'est pas allé par quatre chemins, lui a promis le mariage tandis que Pierrot Le Blanc se tenait un peu à l'écart et me faisait signe d'agir.

Je me suis déplacé de quelques pas, j'ai libéré la fille des griffes de Lazio et je lui ai dit que je voulais bien voir ses peintures, que je me portais candidat si elle voulait un modèle. Son visage s'est illuminé, et, à partir de cet instant, elle ne s'adressait plus qu'à moi.

Elle a cherché à se racheter :

– Quand j'ai parlé tout à l'heure d'extravagance, j'espère que je ne vous ai pas heurté, il faut prendre ça dans le sens artistique du terme…

Je lui ai dit que je n'étais pas du tout froissé, que l'extravagance était de l'art, que si je la comprenais c'est parce que moi-même j'écrivais depuis, que j'avais un ami écrivain, Louis-Philippe, qui aimait aussi l'art.

Elle a ajouté :

– Un écrivain est un artiste, c'est un peintre des mots…

Elle voulait me peindre chez moi, devant ma machine à écrire, au milieu de ma paperasse. Je lui ai donné mon numéro de téléphone. Elle n'a juste pris qu'un verre de jus de tomate et m'a remercié avant de quitter les lieux.

J'ai entendu Willy me sermonner depuis le comptoir :

– Fessologue, tu m'as privé de la danse ! Si tu crois que la fille-là est sérieuse, tu te trompes. Elle va aller chercher un autre extravagant au Baiser salé. C'est le genre de nanas qui racolent les gens comme ça dans les bars, je sais de quoi je parle !…

*

Sarah a débarqué chez moi trois jours plus tard. C'était la première fois que je n'entendais pas monsieur Hippocrate réagir derrière sa porte, sans doute parce qu'il y avait désormais un cessez-le-feu après son monologue au Roi du café.

J'avais tout arrangé chez moi, mais Sarah voulait qu'il y ait un peu de désordre, que je ne fausse pas le jeu. Elle m'a demandé pourquoi je m'étais décarcassé à faire le ménage, à ranger mes malles dans un coin et à brûler de l'encens dans la pièce. Je lui ai répondu que je n'avais pas reçu quelqu'un chez moi depuis un moment. En le disant, l'image de Rose me traversait l'esprit. Je l'ai chassée d'un revers de main.

Sarah m'a prié de me mettre debout près de la fenêtre et m'a regardé pendant un moment avant de commencer à me dessiner. Elle gommait beaucoup, changeait d'angle, me disait de relever la tête un peu vers la gauche pour la lumière. Avait-elle compris que je regardais trop en bas parce que je voulais bien scruter sa face B ?

*

À la fin de son travail nous avons pris un pot au Roi du café. Comme je me sentais bien en discutant avec elle, je lui ai longuement parlé de Couleur d'origine et de ma fille.

– Je suis le père de cette fille, je ne me laisserai pas aller !

J'ai pesté contre L'Hybride, sa musique, ses tam-tams et ses concerts. Elle me regardait droit dans les yeux sans m'interrompre. Je m'en voulais maintenant de monopoliser la parole.

Elle s'est levée sans un mot et m'a dit au revoir. Je l'ai vue descendre les marches de la station Marx-Dormoy. Elle s'est retournée, m'a fait un sourire.

Plus tard, au milieu de la soirée, elle m'a rappelé pour me dire qu'elle avait passé un bon moment, qu'elle me remerciait pour ma disponibilité. Je n'ai pas vu le temps passer, nous sommes restés plus de deux heures au téléphone.

Elle est revenue la semaine suivante avec une peinture emballée. Ce portrait qu'elle a fait de moi est maintenant accroché au mur dans mon studio. On ne peut pas le rater…

J'aime les peintures de Sarah. Les couleurs sont vives. Elle sait exprimer la joie et le désespoir des personnages de Château-Rouge et de Château-d'Eau. Je la vois bien devenir une des peintres les plus en vue des années à venir. Ses parents sont des gens bien. Le père habite à Pantin et dirige une imprimerie et sa mère est esthéticienne à Rambouillet. Ils adorent leur fille unique, contrairement aux parents de Couleur d'origine qui ne veulent plus revoir leur progéniture. Le père est un peu taciturne. Je joue parfois à la pétanque avec lui quand on va le voir. La mère, plus bavarde, me demande souvent des nouvelles du Congo. Et comme je n'ai rien de spécial à lui raconter, elle me répète :

– Il ne faut surtout pas oublier ton pays, surtout pas…

*

Sarah me parle souvent du peintre René Magritte dont la mère s'est donné la mort par noyade alors qu'il avait quatorze ans.

Un jour je lui ai dit :

– En fait la peinture, il suffit d'aller à l'École des beaux-arts, d'apprendre la technique, et de…

Elle m'a coupé, m'a regardé avec pitié et m'a répondu :

– Qu'est-ce que tu me racontes là ? Le vrai peintre c'est celui qui transgresse les normes. Magritte lui-même l'a dit : « Un peintre ne peint pas pour mettre de la couleur sur une toile, comme un poète n'écrit pas pour mettre des mots sur une feuille. »

Je suis resté bouche bée, parce que ce René Magritte avait prévu tous les arguments pour défendre sa boutique ! C'est peut-être ce que devrait faire tout artiste avant de casser sa pipe. Ne pas laisser aux autres le soin de définir sa création. Jeter ici et là les clés de son œuvre pour éviter que les bavards professionnels travestissent l'expérience de toute une vie et la sueur de tout un travail. J'ai rapporté la formule de Magritte à Louis-Philippe le jour où je lui ai présenté mon amie. Ils ont discuté à bâtons rompus de peinture, et c'est là que j'ai réalisé que Louis-Philippe avait toute une collection de tableaux d'artistes de chez lui dans sa cave. Nous sommes descendus avec des torches et on a regardé pendant longtemps chaque toile en écoutant les commentaires de l'écrivain haïtien. J'avais peur dans cette cave, j'imaginais un monstre tapi dans le noir qui nous avalerait d'un souffle puissant. Et puis ces tableaux étaient effrayants à voir dans une cave. Le moindre personnage avait des yeux de braise et des dents d'alligator. Les œuvres qui représentaient les scènes de vaudou me hérissaient les cheveux. Sarah était aux anges, ne voulait plus qu'on sorte de là. C'est quand j'ai bâillé que Louis-Philippe a dit :

–Voilà, les Congolais et la peinture c'est une autre histoire ! C'est pour ça que leur grand Gotene de l'école de Poto-Poto meurt de faim et d'indifférence…

Lorsqu'on remontait de la cave je ne voulais pas être le dernier de la file. On ne sait jamais avec tout ce qu'on m'a raconté sur les personnages qui quittent les toiles de peinture pour égorger les gens.

Je me suis mis entre Sarah et Louis-Philippe.

Louis-Philippe a acheté depuis une toile de Sarah. Un clochard qui dort sur le trottoir de la rue Riquet, et on voit une bouteille de vin qui dépasse de la poche de son manteau…

*

Sarah prétend que je ressemble à un musicien noir américain, Miles Davis. C'est pour ça qu'un soir j'ai bien observé la photo de cet illustre artiste de jazz dans un magasin de cartes et de photos, non loin du café Au père tranquille. Je ne sais pas comment elle en est arrivée à me comparer à ce type. Sans doute à cause de mes cheveux que je défrise. Je salue certes le génie de Miles Davis même sans connaître à fond sa musique comme elle. Je fais confiance aux gens qui se la jouent connaisseurs de jazz et autres musiques à tintamarre inventées paraît-il par les mains noires comme les miennes. Mais franchement je me trouve plus mignon que Miles Davis. Et Sarah de rajouter qu'Édith Piaf en personne – ou Juliette Greco, je ne sais plus – déclarait que Miles Davis était beau comme un dieu, qu'elle n'avait jamais vu un homme aussi beau. Sans blague ! Si c'est Piaf qui a vraiment dit ça, faut alors croire que la môme Édith avait le compliment facile parce que moi je préfère son Marcel Cerdan, le boxeur champion du monde, il était quand même plus beau. Si Miles Davis était un homme ordinaire, je veux dire sans sa trompette et sans ses mains noires, serait-il vu comme un bel homme, hein ? Je ne crois pas. Quand on adule un artiste, affirmer qu'il est laid c'est vu comme un déicide par ses fans.

J'ai dit à Sarah :

– Pour toi tous les Noirs se ressemblent…

Là je l'ai vue rougir, tenter de m'expliquer que ce n'était pas ce qu'elle voulait exprimer, qu'elle n'était pas du tout une raciste puisqu'elle sortait avec moi alors qu'il y avait plein de Blancs à Paris qui couraient après elle.

– Ton problème à toi c'est que tu es mal dans ta peau ! a-t-elle balancé en me tournant le dos.

Je lui ai répété que Miles Davis ne me disait rien. Qu'en plus j'étais persuadé que le génie excusait souvent la laideur physique.

– Mais il n'est pas laid, voyons, est-ce qu'on parle vraiment de la même personne ?

– Si, il est laid !

J'ai compris que je franchissais la ligne rouge. Que je devais me calmer. Que je ne devais pas laisser les démons reprendre le dessus sur moi. J'étais devenu un autre homme. Alors, pour lui faire plaisir, parce que moi aussi j'ai décidé de dire à tous les peintres qu'ils avaient du génie, j'ai concédé que ce musicien était un bel homme, tout en pensant le contraire.

J'aurais pas dû lui dire ça parce qu'elle l'a pris au sérieux et m'a offert un disque de cet artiste, *Young Miles*. Elle m'a conseillé d'écouter le titre *April in Paris* parce que c'était impensable qu'un Parisien n'aime pas ce titre.

Et voilà qu'elle m'impose les coups de trompette et de clarinette, moi qui aime bien écouter du Koffi Olomidé, du Papa Wemba, du J.-B. Mpiana ou du Werra Son, des trucs bien de chez nous que Roger Le Franco-Ivoirien m'offre de temps à autre pour qu'en échange je lui apprenne notre langue, le lingala.

La musique de chez nous c'est autre chose. D'ailleurs ça fait longtemps qu'on a éliminé les trompettes et autres saxophones. À la rigueur il n'y a que Manu Dibango qui a survécu avec ces instruments. Nous sommes à l'heure du rythme endiablé. Quelques paroles, une ou deux minutes maximum, puis plus de vingt minutes de danse, de « chauffé ». On transpire quand on danse, on serre bien la cavalière, on la pousse à la faute jusqu'à ce qu'elle rapproche sa poitrine et sa bouche. Et là, paf, on passe à l'action directe.

Ce n'est pas avec Miles Davis qu'on pourrait réussir un tel exploit. Mais ça je ne dois pas le dire à Sarah…

*

Ce qui m'horripile avec cette musique qu'aime Sarah, c'est que la plupart du temps on ne chante même pas. Moi j'apprécie les paroles, mais là, il n'y en a presque pas. Que des cymbales, que des instruments à vent qui la mettent, elle, dans un état d'excitation. Elle me demande de me laisser pénétrer par le génie de Miles Davis, parce que le jazz c'est plus fort que la vie. Le jazz, c'est l'univers. Ce truc a libéré les consciences des petites gens, dit-elle, l'air réjoui.

Toujours est-il que, depuis, j'écoute quand même Miles Davis. Je commence surtout à aimer son *Vénus de Milo*. Là encore, je me suis gardé de le dire à Sarah, elle qui aime plutôt *April in Paris*. Faut surtout pas désacraliser Paris devant elle…

Sarah estime que c'est choquant que mes amis du Jip's m'appellent Fessologue. Elle m'a donc surnommé « Léon Morin prêtre ». Un hommage, dit-elle, à une certaine Béatrix Beck, grande dame de la littérature belge qu'elle me fait découvrir depuis parce qu'elle était agacée que je ne lise que du Simenon et les romans latino-américains que me prête Louis-Philippe.

– Il faut que tu te libères un peu de la fascination que tu as à l'égard de Louis-Philippe ! Tu ne lis que ce qu'il te dit de lire. La littérature ne s'arrête pas en Amérique latine…

Elle m'a bien vendu Beck en rappelant que cette femme avait décroché le Goncourt en 1952 avec son *Léon Morin, prêtre* dont je conseille maintenant la lecture à mes potes, même au prix de les irriter et de passer pour un casse-pieds.

*

En dehors du jazz et de Miles Davis, le sujet qui nous oppose, je dois reconnaître que c'est grâce à Sarah que je fréquente encore plus les librairies ces derniers temps. Les bouquins que je lis sont plus nombreux que les paires de chaussures Weston, les costumes Francesco Smalto et les cravates Yves Saint Laurent que je portais lors des concerts de Papa Wemba, de Koffi Olomidé ou de J.-B. Mpiana. Je peux tenir le crachoir pendant des heures et des heures, saouler les gens sur autre chose que ma mésaventure avec Couleur d'origine et L'Hybride ! Les auteurs belges, j'en lis beaucoup grâce à elle.

Un jour j'étais arrivé au Jip's avec un bouquin à la main, *La Vie des abeilles*. Dès que j'ai mis les pieds à l'entrée du bar mes potes ont tous mitraillé des yeux le livre, persuadés que j'avais désormais une passion pour les abeilles. Je me suis assis dans un coin et, puisque j'avais décidé de ne plus boire d'alcool parce que j'étais devenu un autre homme, j'ai commandé un jus de gingembre et me suis mis à lire comme si j'étais seul.

Paul du grand Congo est venu vers moi :

– Tu te la joues intello maintenant depuis que tu es avec cette Sarah qui peint les saoulards et les bouteilles de vin rouge ? C'est quoi encore ce bouquin que tu viens lire ici ?

– Un essai de Maurice Maeterlinck…

– Imprononçable, ce nom ! Est-ce que l'auteur est plus connu que Guy des Cars ou Gérard de Villiers ?

– Prix Nobel 1911…

Il m'a toisé des pieds à la tête avant de rejoindre les autres. Je les ai entendus essayer sans succès de prononcer le nom de Maeterlinck, de parler des abeilles en général, et en particulier de celles d'Afrique. Je me suis levé, j'ai disparu.

Trois jours après, je suis revenu avec un autre livre. Cette fois c'est Yves L'Ivoirien tout court qui m'a apostrophé :

– Moi je sais prononcer le nom de ton type qui écrit sur les abeilles !

Je lui ai souri. En réalité il écorchait le nom du Nobel belge. J'ai constaté qu'il ne quittait pas des yeux le bouquin que j'avais entre les mains.

– Et qu'est-ce que tu lis maintenant après tes trucs sur les abeilles de ce… Mae… Maerink… Matae… je veux dire, cet auteur belge ?

– Béatrix Beck…

– Connais pas.

*

Sarah m'a fait découvrir les poèmes d'Henri Michaux. Et comme elle ne pouvait pas toujours guider mes lectures belges, parce qu'il y avait certains livres que je n'aimais pas, je me suis un peu émancipé.

C'est moi-même qui ai par exemple découvert *L'Enragé* de Dominique Rolin, une femme qui a nourri mes complexes, moi qui cherche toujours à écrire un livre dans le genre Georges Simenon, parce que c'est l'auteur belge que j'aime le plus malgré ce que pense Sarah.

Je suis fier d'une chose : c'est moi qui ai insisté pour qu'elle lise enfin *Hygiène de l'assassin* d'Amélie Nothomb.

Elle avait dit au départ :

– Jamais de la vie ! Je n'aime pas lire les auteurs à succès. En plus j'ai vu cette fille manger des choses pourries à la télé !

Elle a pourtant dévoré ce livre parce que je n'arrêtais pas de la taquiner…

Je ne suis pas sorti de chez moi depuis le matin et j'écris avec plus d'ardeur qu'avant. Il doit être deux ou trois heures de l'après-midi.

Hier j'ai eu un coup de fil de mon travail. C'était M. Courgette en personne, le grincheux des ressources humaines. J'ai reconnu sa voix de corde de guitare cassée :

– Est-ce que vous vous rappelez encore que vous avez toujours un travail dans notre imprimerie, monsieur ?

Je ne m'y étais plus rendu depuis des semaines. J'ai prétexté la mort de ma tante paternelle, puis j'ai rajouté que j'avais une maladie grave que les médecins n'arrivaient pas à diagnostiquer et que seuls les guérisseurs de chez nous pouvaient soigner.

– Écoutez, monsieur, vous avez déjà enterré plusieurs membres de votre famille en moins de six mois, et ça fait trois fois que la même tante casse sa pipe !

Comme je ne me souvenais plus que j'avais utilisé à maintes reprises ces mensonges, j'ai essayé de rattraper le coup :

– Monsieur Courgette, je me suis peut-être mal exprimé, je vous parle d'une autre tante… En Afrique on a des tantes en pagaille et ça arrive qu'elles meurent dans la même semaine, au même endroit, dans la même maison sans que ça n'étonne plus personne…

– Bon, là on perd du temps pour rien, quand revenez-vous enfin à votre poste de travail ?

– Il y a encore cette maladie que les docteurs n'arrivent pas à…

– Eh bien, vous n'avez qu'à être malade pendant cent ans ! De toute façon je n'avais plus besoin des services d'une limace de votre espèce !

J'ai dit tant mieux, la semaine prochaine je viendrais prendre mes gants, ma combinaison et mon casque parce que c'est moi qui les avais achetés et qu'il n'était pas question que je laisse ces affaires à un capitaliste incapable de mettre des instruments de travail à la disposition de ses salariés. En plus c'était à lui de me licencier, c'était pas à moi de démissionner !

*

Sarah est venue chez moi en début de soirée et m'a surpris dans ma fièvre d'écriture.

– Tu en es où ? m'a-t-elle demandé.

– Presque à la fin, ai-je répondu sans conviction dans la voix.

Pour la première fois depuis qu'on se connaît elle a pris quelques pages qui traînaient par terre et a commencé à les lire à voix haute. Une rude épreuve pour moi, j'avais tout d'un coup la gorge sèche. J'ai eu le sentiment que mes mots n'allaient plus m'appartenir, qu'ils s'échappaient des pages pour aller mourir entre les lèvres de Sarah. J'ai voulu lui expliquer que je n'avais encore rien mis au propre, que Louis-Philippe n'avait pas lu le manuscrit, que j'en étais encore à une première ébauche, qu'il manquait ceci ou cela. Trop tard, elle poursuivait la lecture, ses traits se durcissaient de plus en plus, elle découvrait la description que je faisais de Couleur d'origine, de sa peau foncée…

Elle a rangé les feuillets, les a déposés près de ma machine à écrire et m'a dit :

– Y a un grand problème dans ton *Black Bazar*…

– Ah oui ?

– Est-ce que ma couleur est aussi une couleur d'origine ?

Elle a éclaté de rire puis m'a regardé d'un air sérieux que je ne lui connaissais pas jusqu'alors.

Elle a murmuré :

– J'attendais que tu finisses enfin ton livre pour te le dire : j'aimerais que tu viennes habiter avec moi…

DU MÊME AUTEUR

Au jour le jour
poésie
Maison rhodanienne de poésie, 1993

La Légende de l'errance
poésie
L'Harmattan, 1995

L'Usure des lendemains
poésie
prix Jean-Christophe de la Société des Poètes français
Nouvelles du Sud, 1995

Les arbres aussi versent des larmes
poésie
L'Harmattan, 1997

Bleu Blanc Rouge
roman
Grand Prix littéraire de l'Afrique noire
Présence africaine, 1998

Quand le coq annoncera l'aube d'un autre jour
poésie
L'Harmattan, 1999

L'Enterrement de ma mère
récit
Éditions Kaléidoscope (Danemark), 2000

Et Dieu seul sait comment je dors
roman
Présence africaine, 2001

Les Petits-Fils nègres de Vercingétorix
roman
Le Serpent à Plumes, 2002
et « Points », n° P1515

Contre-offensive
(ouvrage collectif de pamphlets)
Pauvert, 2002

Nouvelles Voix d'Afrique
(ouvrage collectif de nouvelles)
Éditions Hoebeke, 2002

African psycho
roman
Le Serpent à Plumes, 2003
et « Points », n° P1419

Nouvelles d'Afrique
(ouvrage collectif de nouvelles
accompagnées de photographies)
Gallimard, 2003

Tant que les arbres s'enracineront dans la terre
poésie
Mémoire d'encrier (Canada), 2004

Verre Cassé
roman
prix Ouest France-Étonnants voyageurs, 2005
prix des Cinq Continents, 2005
prix RFO, 2005
Seuil, 2005
et « Points », n° P1418

Vu de la lune
(ouvrage collectif de nouvelles)
Gallimard, 2005

Mémoires de porc-épic
roman
prix Renaudot 2006
Seuil, 2006
et « Points », n° P1742

Lettre à Jimmy
essai
Fayard, 2007
et « Points », n° P2072

Tant que les arbres s'enracineront dans la terre,
recueil de poèmes réunissant
Quand le coq annoncera l'aube d'un autre jour,
La Légende de l'errance,
Les arbres aussi versent des larmes
et Tant que les arbres s'enracineront dans la terre
« Points », n° P1795, 2007

Poésie africaine. Six poètes d'Afrique francophone
(direction d'ouvrage)
« Points Poésie », n° P2320

COMPOSITION : NORD COMPO MULTIMÉDIA
7 RUE DE FIVES - 59650 VILLENEUVE-D'ASCQ

Cet ouvrage a été imprimé en France par
CPI Bussière
à Saint-Amand-Montrond (Cher)
en décembre 2009.
N° d'édition : 101164. - N° d'impression . 91781.
Dépôt légal : février 2010.

Collection Points

P1792. Lieu-dit l'éternité, poèmes choisis, *Emily Dickinson*
P1793. La Couleur bleue, *Jörg Kastner*
P1794. Le Secret de l'imam bleu, *Bernard Besson*
P1795. Tant que les arbres s'enracineront
dans la terre et autres poèmes, *Alain Mabanckou*
P1796. Cité de Dieu, *E.L. Doctorow*
P1797. Le Script, *Rick Moody*
P1798. Raga, approche du continent invisible, *J.M.G. Le Clézio*
P1799. Katerina, *Aharon Appelfeld*
P1800. Une opérette à Ravensbrück, *Germaine Tillion*
P1801. Une presse sans Gutenberg.
Pourquoi Internet a révolutionné le journalisme
Bruno Patino et Jean-François Fogel
P1802. Arabesques. L'aventure de la langue en Occident
Henriette Walter et Bassam Baraké
P1803. L'Art de la ponctuation. Le point, la virgule
et autres signes fort utiles
Olivier Houdart et Sylvie Prioul
P1804. À mots découverts. Chroniques au fil de l'actualité
Alain Rey
P1805. L'Amante du pharaon, *Naguib Mahfouz*
P1806. Contes de la rose pourpre, *Michel Faber*
P1807. La Lucidité, *José Saramago*
P1808. Fleurs de Chine, *Wei-Wei*
P1809. L'Homme ralenti, *J.M. Coetzee*
P1810. Rêveurs et nageurs, *Denis Grozdanovitch*
P1811. -30°, *Donald Harstad*
P1812. Le Second Empire. Les Monarchies divines IV
Paul Kearney
P1813. Été machine, *John Crowley*
P1814. Ils sont votre épouvante, et vous êtes leur crainte
Thierry Jonquet
P1815. Paperboy, *Pete Dexter*
P1816. Bad city blues, *Tim Willocks*
P1817. Le Vautour, *Gil Scott Heron*
P1818. La Peur des bêtes, *Enrique Serna*
P1819. Accessible à certaine mélancolie, *Patrick Besson*
P1820. Le Diable de Milan, *Martin Suter*
P1821. Funny Money, *James Swain*
P1822. J'ai tué Kennedy ou les mémoires d'un garde du corps
Manuel Vázquez Montalbán
P1823. Assassinat à Prado del Rey et autres histoires sordides
Manuel Vázquez Montalbán

P1824. Laissez entrer les idiots. Témoignage d'un autiste
Kamran Nazeer
P1825. Patients si vous saviez, *Christian Lehmann*
P1826. La Société cancérigène
Geneviève Barbier et Armand Farrachi
P1827. La Mort dans le sang, *Joshua Spanogle*
P1828. Une âme de trop, *Brigitte Aubert*
P1829. Non, ce pays n'est pas pour le vieil homme
Cormac McCarthy
P1830. La Psy, *Jonathan Kellerman*
P1831. La Voix, *Arnaldur Indridason*
P1832. Les Nouvelles Enquêtes du juge Ti, vol. 4
Petits meurtres entre moines, *Frédéric Lenormand*
P1833. Les Nouvelles Enquêtes du juge Ti, vol. 5
Madame Ti mène l'enquête, *Frédéric Lenormand*
P1834. La Mémoire courte, *Louis-Ferdinand Despreez*
P1835. Les Morts du Karst, *Veit Heinichen*
P1836. Un doux parfum de mort, *Guillermo Arriaga*
P1837. Bienvenue en enfer, *Clarence L. Cooper*
P1838. Le Roi des fourmis, *Charles Higson*
P1839. La Dernière Arme, *Philip Le Roy*
P1840. Désaxé, *Marcus Sakey*
P1841. Opération vautour, *Stephen W. Frey*
P1842. Éloge du gaucher, *Jean-Paul Dubois*
P1843. Le Livre d'un homme seul, *Gao Xingjian*
P1844. La Glace, *Vladimir Sorokine*
P1845. Je voudrais tant revenir, *Yves Simon*
P1846. Au cœur de ce pays, *J.M. Coetzee*
P1847. La Main blessée, *Patrick Grainville*
P1848. Promenades anglaises, *Christine Jordis*
P1849. Scandale et folies.
Neuf récits du monde où nous sommes, *Gérard Mordillat*
P1850. Un mouton dans la baignoire, *Azouz Begag*
P1851. Rescapée, *Fiona Kidman*
P1852. Le Sortilège de l'ombre. Le Cycle de Deverry II
Katharine Kerr
P1853. Comment aiment les femmes. Du désir et des hommes
Maryse Vaillant
P1854. Courrier du corps. Nouvelles voies de l'anti-gymnastique
Thérèse Bertherat
P1855. Restez zen. La méthode du chat, *Henri Brunel*
P1856. Le Jardin de ciment, *Ian McEwan*
P1857. L'Obsédé (L'Amateur), *John Fowles*
P1858. Moustiques, *William Faulkner*
P1859. Givre et sang, *John Cowper Powys*
P1860. Le Bon Vieux et la Belle Enfant, *Italo Svevo*

P1861. Le Mystère Tex Avery, *Robert Benayoun*

P1862. La Vie aux aguets, *William Boyd*

P1863. L'amour est une chose étrange, *Joseph Connolly*

P1864. Mossad, les nouveaux défis, *Gordon Thomas*

P1865. 1968, Une année autour du monde, *Raymond Depardon*

P1866. Les Maoïstes, *Christophe Bourseiller*

P1867. Floraison sauvage, *Aharon Appelfeld*

P1868. Et il y eut un matin, *Sayed Kashua*

P1869. 1 000 mots d'esprit, *Claude Gagnière*

P1870. Le Petit Grozda. Les merveilles oubliées du Littré
Denis Grozdanovitch

P1871. Romancero gitan, *Federico García Lorca*

P1872. La Vitesse foudroyante du passé, *Raymond Carver*

P1873. Ferrements et autres poèmes, *Aimé Césaire*

P1874. La Force qui nous manque, *Eva Joly*

P1875. Enfants des morts, *Elfriede Jelinek*

P1876. À poèmes ouverts, *Anthologie Printemps des poètes*

P1877. Le Peintre de batailles, *Arturo Pérez-Reverte*

P1878. La Fille du Cannibale, *Rosa Montero*

P1879. Blue Angel, *Francine Prose*

P1880. L'Armée du salut, *Abdellah Taïa*

P1881. Grille de parole, *Paul Celan*

P1882. Nouveaux poèmes *suivi de* Requiem, *Rainer Maria Rilke*

P1883. Dissimulation de preuves, *Donna Leon*

P1884. Une erreur judiciaire, *Anne Holt*

P1885. Honteuse, *Karin Alvtegen*

P1886. La Mort du privé, *Michael Koryta*

P1887. Tea-Bag, *Henning Mankell*

P1888. Le Royaume des ombres, *Alan Furst*

P1889. Fenêtres de Manhattan, *Antonio Muñoz Molina*

P1890. Tu chercheras mon visage, *John Updike*

P1891. Fonds de tiroir, *Pierre Desproges*

P1892. Desproges est vivant, *Pierre Desproges*

P1893. Les Vaisseaux de l'ouest. Les Monarchies divines V
Paul Kearney

P1894. Le Quadrille des assassins. La Trilogie Morgenstern I
Hervé Jubert

P1895. Un tango du diable. La Trilogie Morgenstern II
Hervé Jubert

P1896. La Ligue des héros. Le Cycle de Kraven I
Xavier Mauméjean

P1897. Train perdu, wagon mort, *Jean-Bernard Pouy*

P1898. Cantique des gisants, *Laurent Martin*

P1899. La Nuit de l'abîme, *Juris Jurjevics*

P1900. Tango, *Elsa Osorio*

P1901. Julien, *Gore Vidal*

P1902. La Belle Vie, *Jay McInerney*

P1903. La Baïne, *Eric Holder*

P1904. Livre des chroniques III, *António Lobo Antunes*

P1905. Ce que je sais (Mémoires 1), *Charles Pasqua*

P1906. La Moitié de l'âme, *Carme Riera*

P1907. Drama city, *George P. Pelecanos*

P1908. Le Marin de Dublin, *Hugo Hamilton*

P1909. La Mère des chagrins, *Richard McCann*

P1910. Des louves, *Fabienne Jacob*

P1911. La Maîtresse en maillot de bain. Quatre récits d'enfance
Yasmina Khadra, Paul Fournel,
Dominique Sylvain et Marc Villard

P1912. Un si gentil petit garçon, *Jean-Loup Chiflet*

P1913. Saveurs assassines. Les Enquêtes de Miss Lalli
Kalpana Swaminathan

P1914. La Quatrième Plaie, *Patrick Bard*

P1915. Mon sang retombera sur vous, *Aldo Moro*

P1916. On ne naît pas Noir, on le devient
Jean-Louis Sagot-Duvauroux

P1917. La Religieuse de Madrigal, *Michel del Castillo*

P1918. Les Princes de Francalanza, *Federico de Roberto*

P1919. Le Conte du ventriloque, *Pauline Melville*

P1920. Nouvelles chroniques au fil de l'actualité.
Encore des mots à découvrir, *Alain Rey*

P1921. Le mot qui fait mouche. Dictionnaire amusant
et instructif des phrases les plus célèbres de l'histoire
Gilles Henry

P1922. Les Pierres sauvages, *Fernand Pouillon*

P1923. Ce monde est mon partage et celui du démon
Dylan Thomas

P1924. Bright Lights, Big City, *Jay McInerney*

P1925. À la merci d'un courant violent, *Henry Roth*

P1926. Un rocher sur l'Hudson, *Henry Roth*

P1927. L'amour fait mal, *William Boyd*

P1928. Anthologie de poésie érotique, *Jean-Paul Goujon (dir.)*

P1929. Hommes entre eux, *Jean-Paul Dubois*

P1930. Ouest, *François Vallejo*

P1931. La Vie secrète de E. Robert Pendleton, *Michael Collins*

P1932. Dara, *Patrick Besson*

P1933. Le Livre pour enfants, *Christophe Honoré*

P1934. La Méthode Schopenhauer, *Irvin D. Yalom*

P1935. Echo Park, *Michael Connelly*

P1936. Les Rescapés du Styx, *Jane Urquhart*

P1937. L'Immense Obscurité de la mort, *Massimo Carlotto*

P1938. Hackman blues, *Ken Bruen*

P1939. De soie et de sang, *Qiu Xiaolong*

P1940. Les Thermes, *Manuel Vázquez Montalbán*
P1941. Femme qui tombe du ciel, *Kirk Mitchell*
P1942. Passé parfait, *Leonardo Padura*
P1943. Contes barbares, *Craig Russell*
P1944. La Mort à nu, *Simon Beckett*
P1945. La Nuit de l'infamie, *Michael Cox*
P1946. Les Dames de nage, *Bernard Giraudeau*
P1947. Les Aventures de Minette Accentiévitch *Vladan Matijeviç*
P1948. Jours de juin, *Julia Glass*
P1949. Les Petits Hommes verts, *Christopher Buckley*
P1950. Dictionnaire des destins brisés du rock *Bruno de Stabenrath*
P1951. L'Ère des dragons. Le Cycle de Kraven II *Xavier Mauméjean*
P1952. Sabbat Samba. La Trilogie Morgenstern III *Hervé Jubert*
P1953. Pour le meilleur et pour l'empire, *James Hawes*
P1954. Doctor Mukti, *Will Self*
P1955. Comme un père, *Laurence Tardieu*
P1956. Sa petite chérie, *Colombe Schneck*
P1957. Tigres et tigresses. Histoire intime des couples présidentiels sous la Ve République, *Christine Clerc*
P1958. Le Nouvel Hollywood, *Peter Biskind*
P1959. Le Tueur en pantoufles, *Frédéric Dard*
P1960. On demande un cadavre, *Frédéric Dard*
P1961. La Grande Friture, *Frédéric Dard*
P1962. Carnets de naufrage, *Guillaume Vigneault*
P1963. Jack l'éventreur démasqué, *Sophie Herfort*
P1964. Chicago banlieue sud, *Sara Paretsky*
P1965. L'Illusion du péché, *Alexandra Marinina*
P1966. Viscéral, *Rachid Djaïdani*
P1967. La Petite Arabe, *Alicia Erian*
P1968. Pampa, *Pierre Kalfon*
P1969. Les Cathares. Brève histoire d'un mythe vivant *Henri Gougaud*
P1970. Le Garçon et la Mer, *Kirsty Gunn*
P1971. L'Heure verte, *Frederic Tuten*
P1972. Le Chant des sables, *Brigitte Aubert*
P1973. La Statue du commandeur, *Patrick Besson*
P1974. Mais qui est cette personne allongée dans le lit à côté de moi ?, *Alec Steiner*
P1975. À l'abri de rien, *Olivier Adam*
P1976. Le Cimetière des poupées, *Mazarine Pingeot*
P1977. Le Dernier Frère, *Nathacha Appanah*
P1978. La Robe, *Robert Alexis*

P1979. Le Goût de la mère, *Edward St Aubyn*
P1980. Arlington Park, *Rachel Cusk*
P1981. Un acte d'amour, *James Meek*
P1982. Karoo boy, *Troy Blacklaws*
P1983. Toutes ces vies qu'on abandonne, *Virginie Ollagnier*
P1984. Un peu d'espoir. La trilogie Patrick Melrose
Edward St Aubyn
P1985. Ces femmes qui nous gouvernent, *Christine Ockrent*
P1986. Shakespeare, la biographie, *Peter Ackroyd*
P1987. La Double Vie de Virginia Woolf
Geneviève Brisac, Agnès Desarthe
P1988. Double homicide, *Faye et Jonathan Kellerman*
P1989. La Couleur du deuil, *Ravi Shankar Etteth*
P1990. Le Mur du silence, *Hakan Nesser*
P1991. Mason & Dixon, *Thomas Pynchon*
P1992. Allumer le chat, *Barbara Constantine*
P1993. La Stratégie des antilopes, *Jean Hatzfeld*
P1994. Mauricio ou les Élections sentimentales
Eduardo Mendoza
P1995. La Zone d'inconfort. Une histoire personnelle
Jonathan Franzen
P1996. Un goût de rouille et d'os, *Craig Davidson*
P1997. La Porte des larmes. Retour vers l'Abyssinie
Jean-Claude Guillebaud, Raymond Depardon
P1998. Le Baiser d'Isabelle.
L'aventure de la première greffe du visage
Noëlle Châtelet
P1999. Poésies libres, *Guillaume Apollinaire*
P2000. Ma grand-mère avait les mêmes.
Les dessous affriolants des petites phrases
Philippe Delerm
P2001. Le Français dans tous les sens, *Henriette Walter*
P2002. Bonobo, gazelle & Cie, *Henriette Walter*, *Pierre Avenas*
P2003. Noir corbeau, *Joel Rose*
P2004. Coupable, *Davis Hosp*
P2005. Une canne à pêche pour mon grand-père, *Gao Xingjian*
P2006. Le Clocher de Kaliazine, Études et miniatures
Alexandre Soljenitsyne
P2007. Rêveurs, *Knut Hamsun*
P2008. Pelures d'oignon, *Günter Grass*
P2009. De l'aube au crépuscule, *Rabindranath Tagore*
P2010. Les Sept Solitudes de Lorsa Lopez, *Sony Labou Tansi*
P2011. La Première Femme, *Nedim Gürsel*
P2012. Le Tour du monde en 14 jours, 7 escales, 1 visa
Raymond Depardon
P2013. L'Aïeul, *Aris Fakinos*

P2014. Les Exagérés, *Jean-François Vilar*
P2015. Le Pic du Diable, *Deon Meyer*
P2016. Le Temps de la sorcière, *Arni Thorarinsson*
P2017. Écrivain en 10 leçons, *Philippe Ségur*
P2018. L'Assassinat de Jesse James par le lâche Robert Ford
Ron Hansen
P2019. Tu crois que c'est à moi de rappeler ?
Transports parisiens 2, *Alec Steiner*
P2020. À la recherche de Klingsor, *Jorge Volpi*
P2021. Une saison ardente, *Richard Ford*
P2022. Un sport et un passe-temps, *James Salter*
P2023. Eux, *Joyce Carol Oates*
P2024. Mère disparue, *Joyce Carol Oates*
P2025. La Mélopée de l'ail paradisiaque, *Mo Yan*
P2026. Un bonheur parfait, *James Salter*
P2027. Le Blues du tueur à gages, *Lawrence Block*
P2028. Le Chant de la mission, *John le Carré*
P2029. L'Ombre de l'oiseau-lyre, *Andres Ibañez*
P2030. Les Arnaqueurs aussi, *Laurent Chalumeau*
P2031. Hello Goodbye, *Moshé Gaash*
P2032. Le Sable et l'Écume et autres poèmes, *Khalil Gibran*
P2033. La Rose et autres poèmes, *William Butler Yeats*
P2034. La Méridienne, *Denis Guedj*
P2035. Une vie avec Karol, *Stanislao Dziwisz*
P2036. Les Expressions de nos grands-mères, *Marianne Tillier*
P2037. *Sky my husband !* The integrale / Ciel mon mari !
L'intégrale, *Dictionary of running english /*
Dictionnaire de l'anglais courant, Jean-Loup Chiflet
P2038. Dynamite road, *Andrew Klavan*
P2039. Classe à part, *Joanne Harris*
P2040. La Dame de cœur, *Carmen Posadas*
P2041. Ultimatum (En retard pour la guerre), *Valérie Zénatti*
P2042. 5 octobre, 23 h 33, *Donald Harstad*
P2043. La Griffe du chien, *Don Wislow*
P2044. Les Nouvelles Enquêtes du juge Ti, vol. 6
Mort d'un cuisinier chinois, *Frédéric Lenormand*
P2045. Divisadero, *Michael Ondaatje*
P2046. L'Arbre du dieu pendu, *Alejandro Jodorowsky*
P2047. Découpé en tranches, *Zep*
P2048. La Pension Eva, *Andrea Camilleri*
P2049. Le Cousin de Fragonard, *Patrick Roegiers*
P2050. Pimp, *Iceberg Slim*
P2051. Graine de violence, *Evan Hunter (alias Ed McBain)*
P2052. Les Rêves de mon père. Un héritage en noir et blanc
Barack Obama
P2053. Le Centaure, *John Updike*

P2054. Jusque-là tout allait bien en Amérique.
Chroniques de la vie américaine 2, *Jean-Paul Dubois*
P2055. Les juins ont tous la même peau. Rapport sur Boris Vian
Chloé Delaume
P2056. De sang et d'ébène, *Donna Leon*
P2057. Passage du Désir, *Dominique Sylvain*
P2058. L'Absence de l'ogre, *Dominique Sylvain*
P2059. Le Labyrinthe grec, *Manuel Vázquez Montalbán*
P2060. Vents de carême, *Leonardo Padura*
P2061. Cela n'arrive jamais, *Anne Holt*
P2062. Un sur deux, *Steve Mosby*
P2063. Monstrueux, *Natsuo Kirino*
P2064. Reflets de sang, *Brigitte Aubert*
P2065. Commis d'office, *Hannelore Cayre*
P2066. American Gangster, *Max Allan Collins*
P2067. Le Cadavre dans la voiture rouge
Ólafur Haukur Símonarson
P2068. Profondeurs, *Henning Mankell*
P2069. Néfertiti dans un champ de canne à sucre
Philippe Jaenada
P2070. Les Brutes, *Philippe Jaenada*
P2071. Milagrosa, *Mercedes Deambrosis*
P2072. Lettre à Jimmy, *Alain Mabanckou*
P2073. Volupté singulière, *A.L. Kennedy*
P2074. Poèmes d'amour de l'Andalousie à la mer Rouge.
Poésie amoureuse hébraïque, *Anthologie*
P2075. Quand j'écris je t'aime
suivi de Le Prolifique et Le Dévoreur
W.H. Auden
P2076. Comment éviter l'amour et le mariage
Dan Greenburg, Suzanne O'Malley
P2077. Le Fouet, *Martine Rofinella*
P2078. Cons, *Juan Manuel Prada*
P2079. Légendes de Catherine M., *Jacques Henric*
P2080. Le Beau Sexe des hommes, *Florence Ehnuel*
P2081. G., *John Berger*
P2082. Sombre comme la tombe où repose mon ami
Malcolm Lowry
P2083. Le Pressentiment, *Emmanuel Bove*
P2084. L'Art du roman, *Virginia Woolf*
P2085. Le Clos Lothar, *Stéphane Héaume*
P2086. Mémoires de nègre, *Abdelkader Djemaï*
P2087. Le Passé, *Alan Pauls*
P2088. Bonsoir les choses d'ici-bas, *António Lobo Antunes*
P2089. Les Intermittences de la mort, *José Saramago*
P2090. Même le mal se fait bien, *Michel Folco*

P2091. Samba Triste, *Jean-Paul Delfino*
P2092. La Baie d'Alger, *Louis Gardel*
P2093. Retour au noir, *Patrick Raynal*
P2094. L'Escadron Guillotine, *Guillermo Arriaga*
P2095. Le Temps des cendres, *Jorge Volpi*
P2096. Frida Khalo par Frida Khalo. Lettres 1922-1954
Frida Khalo
P2097. Anthologie de la poésie mexicaine, *Claude Beausoleil*
P2098. Les Yeux du dragon, petits poèmes chinois, *Anthologie*
P2099. Seul dans la splendeur, *John Keats*
P2100. Beaux Présents, Belles Absentes, *Georges Perec*
P2101. Les Plus Belles Lettres du professeur Rollin.
Ou comment écrire au roi d'Espagne
pour lui demander la recette du gaspacho
François Rollin
P2102. Répertoire des délicatesses du français contemporain
Renaud Camus
P2103. Un lien étroit, *Christine Jordis*
P2104. Les Pays lointains, *Julien Green*
P2105. L'Amérique m'inquiète.
Chroniques de la vie américaine 1
Jean-Paul Dubois
P2106. Moi je viens d'où ? *suivi de* C'est quoi l'intelligence ?
et de E = CM2, *Albert Jacquard, Marie-José Auderset*
P2107. Moi et les autres, initiation à la génétique, *Albert Jacquard*
P2108. Quand est-ce qu'on arrive ?, *Howard Buten*
P2109. Tendre est la mer, *Philip Plisson, Yann Queffélec*
P2110. Tabarly, *Yann Queffélec*
P2111. Les Hommes à terre, *Bernard Giraudeau*
P2112. Le Phare appelle à lui la tempête et autres poèmes
Malcolm Lowry
P2113. L'Invention des Désirades et autres poèmes
Daniel Maximin
P2114. Antartida, *Francisco Coloane*
P2115. Brefs Aperçus sur l'éternel féminin, *Denis Grozdanovitch*
P2116. Le Vol de la mésange, *François Maspero*
P2117. Tordu, *Jonathan Kellerman*
P2118. Flic à Hollywood, *Joseph Wambaugh*
P2119. Ténébreuses, *Karin Alvtegen*
P2120. La Chanson du jardinier. Les Enquêtes de Miss Lalli
Kalpana Swaminathan
P2121. Portrait de l'écrivain en animal domestique
Lydie Salvayre
P2122. In memoriam, *Linda Lê*
P2123. Les Rois écarlates, *Tim Willocks*
P2124. Arrivederci amore, *Massimo Carlotto*

P2125. Les Carnets de monsieur Manatane
Benoît Poelvoorde, Pascal Lebrun
P2126. Guillon aggrave son cas, *Stéphane Guillon*
P2127. Le Manuel du parfait petit masochiste
Dan Greenburg, Marcia Jacobs
P2128. Shakespeare et moi, *Woody Allen*
P2129. Pour en finir une bonne fois pour toutes avec la culture
Woody Allen
P2130. Porno, *Irvine Welsh*
P2131. Jubilee, *Margaret Walker*
P2132. Michael Tolliver est vivant, *Armistead Maupin*
P2133. Le Saule, *Hubert Selby Jr*
P2134. Les Européens, *Henry James*
P2135. Comédie new-yorkaise, *David Schickler*
P2136. Professeur d'abstinence, *Tom Perrotta*
P2137. Haut vol : histoire d'amour, *Peter Carey*
P2139. La Danseuse de Mao, *Qiu Xiaolong*
P2140. L'Homme délaissé, *C.J. Box*
P2141. Les Jardins de la mort, *George P. Pelecanos*
P2142. Avril rouge, *Santiago Roncagliolo*
P2143. Ma mère, *Richard Ford*
P2144. Comme une mère, *Karine Reysset*
P2145. Titus d'Enfer. La Trilogie de Gormenghast, 1
Mervyn Peake
P2146. Gormenghast. La Trilogie de Gormenghast, 2
Mervyn Peake
P2147. Au monde.
Ce qu'accoucher veut dire : une sage-femme raconte…
Chantal Birman
P2148. Du plaisir à la dépendance.
Nouvelles thérapies, nouvelles addictions
Michel Lejoyeux
P2149. Carnets d'une longue marche.
Nouvelle marche d'Istanbul à Xi'an
Bernard Ollivier, François Dermaut
P2150. Treize Lunes, *Charles Frazier*
P2151. L'Amour du français.
Contre les puristes et autres censeurs de la langue
Alain Rey
P2152. Le Bout du rouleau, *Richard Ford*
P2153. Belle-sœur, *Patrick Besson*
P2154. Après, Fred Chichin est mort, *Pascale Clark*
P2155. La Leçon du maître et autres nouvelles, *Henry James*
P2156. La Route, *Cormac McCarthy*
P2157. À genoux, *Michael Connelly*
P2158. Baka !, *Dominique Sylvain*

P2159. Toujours L.A., *Bruce Wagner*
P2160. C'est la vie, *Ron Hansen*
P2161. Groom, *François Vallejo*
P2162. Les Démons de Dexter, *Jeff Lindsay*
P2163. Journal 1942-1944, *Hélène Berr*
P2164. Journal 1942-1944 (édition scolaire), *Hélène Berr*
P2165. Pura vida. Vie et Mort de William Walker, *Patrick Deville*
P2166. Terroriste, *John Updike*
P2167. Le Chien de Dieu, *Patrick Bard*
P2168. La Trace, *Richard Collasse*
P2169. L'Homme du lac, *Arnaldur Indridason*
P2170. Et que justice soit faite, *Michael Koryta*
P2171. Le Dernier des Weynfeldt, *Martin Suter*
P2172. Le Noir qui marche à pied, *Louis-Ferdinand Despreez*
P2173. Abysses, *Frank Schätzing*
P2174. L'Audace d'espérer. Un nouveau rêve américain
Barack Obama
P2175. Une Mercedes blanche avec des ailerons, *James Hawes*
P2176. La Fin des mystères, *Scarlett Thomas*
P2177. La Mémoire neuve, *Jérôme Lambert*
P2178. Méli-vélo. Abécédaire amoureux du vélo, *Paul Fournel*
P2179. Le Prince des braqueurs, *Chuck Hogan*
P2180. Corsaires du Levant, *Arturo Pérez-Reverte*
P2181. Mort sur liste d'attente, *Veit Heinichen*
P2182. Héros et Tombes, *Ernesto Sabato*
P2183. Teresa l'après-midi, *Juan Marsé*
P2184. Titus errant. La Trilogie de Gormenghast, 3
Mervyn Peake
P2185. Julie & Julia. Sexe, blog et bœuf bourguignon
Julie Powell
P2186. Le Violon d'Hitler, *Igal Shamir*
P2187. La mère qui voulait être femme, *Maryse Wolinski*
P2188. Le Maître d'amour, *Maryse Wolinski*
P2189. Les Oiseaux de Bangkok, *Manuel Vázquez Montalbán*
P2190. Intérieur Sud, *Bertrand Visage*
P2191. L'homme qui voulait voir Mahona, *Henri Gougaud*
P2192. Écorces de sang, *Tana French*
P2193. Café Lovely, *Rattawut Lapcharoensap*
P2194. Vous ne me connaissez pas, *Joyce Carol Oates*
P2195. La Fortune de l'homme et autres nouvelles, *Anne Brochet*
P2196. L'Été le plus chaud, *Zsuzsa Bánk*
P2197. Ce que je sais… Un magnifique désastre 1988-1995.
Mémoires 2, *Charles Pasqua*
P2198. Ambre, vol. 1, *Kathleen Winsor*
P2199. Ambre, vol. 2, *Kathleen Winsor*
P2200. Mauvaises Nouvelles des étoiles, *Serge Gainsbourg*

P2201. Jour de souffrance, *Catherine Millet*
P2202. Le Marché des amants, *Christine Angot*
P2203. L'État des lieux, *Richard Ford*
P2204. Le Roi de Kahel, *Tierno Monénembo*
P2205. Fugitives, *Alice Munro*
P2206. La Beauté du monde, *Michel Le Bris*
P2207. La Traversée du Mozambique par temps calme *Patrice Pluyette*
P2208. Ailleurs, *Julia Leigh*
P2209. Un diamant brut, *Yvette Szczupak-Thomas*
P2210. Trans, *Pavel Hak*
P2211. Peut-être une histoire d'amour, *Martin Page*
P2212. Peuls, *Tierno Monénembo*
P2214. Le Cas Sonderberg, *Élie Wiesel*
P2215. Fureur assassine, *Jonathan Kellerman*
P2216. Misterioso, *Arne Dahl*
P2217. Shotgun Alley, *Andrew Klavan*
P2218. Déjanté, *Hugo Hamilton*
P2219. La Récup, *Jean-Bernard Pouy*
P2221. Les Accommodements raisonnables, *Jean-Paul Dubois*
P2222. Les Confessions de Max Tivoli, *Andrew Sean Greer*
P2223. Le pays qui vient de loin, *André Bucher*
P2224. Le Supplice du santal, *Mo Yan*
P2225. La Véranda, *Robert Alexis*
P2226. Je ne sais rien… mais je dirai (presque) tout *Yves Bertrand*
P2227. Un homme très recherché, *John le Carré*
P2228. Le Correspondant étranger, *Alan Furst*
P2229. Brandebourg, *Henry Porter*
P2230. J'ai vécu 1 000 ans, *Mariolina Venezia*
P2231. La Conquistadora, *Eduardo Manet*
P2232. La Sagesse des fous, *Einar Karason*
P2233. Un chasseur de lions, *Olivier Rolin*
P2234. Poésie des troubadours. Anthologie, *Henri Gougaud (dir.)*
P2235. Chacun vient avec son silence. Anthologie *Jean Cayrol*
P2236. Badenheim 1939, *Aharon Appelfeld*
P2237. Le Goût sucré des pommes sauvages, *Wallace Stegner*
P2238. Un mot pour un autre, *Rémi Bertrand*
P2239. Le Bêtisier de la langue française, *Claude Gagnière*
P2240. Esclavage et Colonies, *G. J. Danton et L. P. Dufay, L. Sédar Senghor, C. Taubira*
P2241. Race et Nation, *M. L. King, E. Renan*
P2242. Face à la crise, *B. Obama, F. D. Roosevelt*
P2243. Face à la guerre, *W. Churchill, général de Gaulle*
P2244. La Non-Violence, *Mahatma Gandhi, Dalaï Lama*

P2245. La Peine de mort, *R. Badinter, M. Barrès*
P2246. Avortement et Contraception, *S. Veil, L. Neuwirth*
P2247. Les Casseurs et l'Insécurité
F. Mitterrand et M. Rocard, N. Sarkozy
P2248. La Mère de ma mère, *Vanessa Schneider*
P2249. De la vie dans son art, de l'art dans sa vie
Anny Duperey et Nina Vidrovitch
P2250. Desproges en petits morceaux. Les meilleures citations
Pierre Desproges
P2251. Dexter I, II, III, *Jeff Lindsay*
P2252. God's pocket, *Pete Dexter*
P2253. En effeuillant Baudelaire, *Ken Bruen*
P2254. Meurtres en bleu marine, *C.J. Box*
P2255. Le Dresseur d'insectes, *Arni Thorarinsson*
P2256. La Saison des massacres, *Giancarlo de Cataldo*
P2257. Évitez le divan
Petit guide à l'usage de ceux qui tiennent à leurs symptômes
Philippe Grimbert
P2258. La Chambre de Mariana, *Aharon Appelfeld*
P2259. La Montagne en sucre, *Wallace Stegner*
P2260. Un jour de colère, *Arturo Pérez-Reverte*
P2261. Le Roi transparent, *Rosa Montero*
P2262. Le Syndrome d'Ulysse, *Santiago Gamboa*
P2263. Catholique anonyme, *Thierry Bizot*
P2264. Le Jour et l'Heure, *Guy Bedos*
P2265. Le Parlement des fées
I. L'Orée des bois, *John Crowley*
P2266. Le Parlement des fées
II. L'Art de la mémoire, *John Crowley*
P2267. Best-of Sarko, *Plantu*
P2268. Cent Mots et Expressions à foutre à la poubelle
Jean-Loup Chiflet
P2269. Le Baleinié, *Christine Murillo, Jean-Claude Leguay, Grégoire Œstermann*
P2270. Couverture dangereuse, *Philippe Le Roy*
P2271. Quatre Jours avant Noël, *Donald Harstad*
P2272. Petite Bombe noire, *Christopher Brookmyre*
P2273. Journal d'une année noire, *J.M. Coetzee*
P2274. Faites vous-même votre malheur, *Paul Watzlawick*
P2275. Paysans, *Raymond Depardon*
P2276. Homicide special, *Miles Corwin*
P2277. Mort d'un Chinois à La Havane, *Leonardo Padura*
P2278. Le Radeau de pierre, *José Saramago*
P2279. Contre-jour, *Thomas Pynchon*
P2280. Trick Baby, *Iceberg Slim*
P2281. Perdre est une question de méthode, *Santiago Gamboa*

P2282. Le Rocher de Montmartre, *Joanne Harris*
P2283. L'Enfant du Jeudi noir, *Alejandro Jodorowsky*
P2284. Lui, *Patrick Besson*
P2285. Tarabas, *Joseph Roth*
P2286. Le Cycliste de San Cristobal, *Antonio Skármeta*
P2287. Récit des temps perdus, *Aris Fakinos*
P2288. L'Art délicat du deuil
Les nouvelles enquêtes du juge Ti (vol. 7)
Frédéric Lenormand
P2289. Ceux qu'on aime, *Steve Mosby*
P2290. Lemmer, l'invisible, *Deon Meyer*
P2291. Requiem pour une cité de verre, *Donna Leon*
P2292. La Fille du Samouraï, *Dominique Sylvain*
P2293. Le Bal des débris, *Thierry Jonquet*
P2294. Beltenebros, *Antonio Muñoz Molina*
P2295. Le Bison de la nuit, *Guillermo Arriaga*
P2296. Le Livre noir des serial killers, *Stéphane Bourgoin*
P2297. Une tombe accueillante, *Michael Koryta*
P2298. Roldán, ni mort ni vif, *Manuel Vásquez Montalbán*
P2299. Le Petit Frère, *Manuel Vásquez Montalbán*
P2300. Poussière d'os, *Simon Beckett*
P2301. Le Cerveau de Kennedy, *Henning Mankell*
P2302. Jusque-là tout allait bien, *Stéphane Guillon*
P2303. Une parfaite journée parfaite, *Martin Page*
P2304. Corps volatils, *Jakuta Alikavazovic*
P2305. De l'art de prendre la balle au bond
Précis de mécanique gestuelle et spirituelle
Denis Grozdanovitch
P2306. Regarde la vague, *François Emmanuel*
P2307. Des vents contraires, *Olivier Adam*
P2308. Le Septième Voile, *Juan Manuel de Prada*
P2309. Mots d'amour secrets.
100 lettres à décoder pour amants polissons
Jacques Perry-Salkow, Frédéric Schmitter
P2310. Carnets d'un vieil amoureux, *Marcel Mathiot*
P2311. L'Enfer de Matignon, *Raphaëlle Bacqué*
P2312. Un État dans l'État. Le contre-pouvoir maçonnique
Sophie Coignard
P2313. Les Femelles, *Joyce Carol Oates*
P2314. Ce que je suis en réalité demeure inconnu, *Virginia Woolf*
P2316. Le Voyage des grands hommes, *François Vallejo*
P2329. L'Invité, *Hwang Sok-Yong*
P2330. Petit Abécédaire de culture générale
40 mots-clés passés au microscope, *Albert Jacquard*
P2331. La Grande Histoire des codes secrets, *Laurent Joffrin*
P2332. La Fin de la folie, *Jorge Volpi*